U0108019

三氣周瑜

導讀文字：金　朝

繪　圖：李成立

萬里機構・萬里書店出版

編輯：莊澤義・王淑萍
書名題簽：黃　天

⑤「古書今讀」之《漫畫三國演義》系列

三氣周瑜

導讀文字
金　朝

繪　圖
李成立

出版者
萬里機構・萬里書店
香港九龍土瓜灣馬坑涌道5B-5F地下1號
電話：25647511
網址：http://www.wanlibk.com
電郵地址：wanlibk@enmpc.org.hk

發行者
萬里機構營業部
香港九龍土瓜灣馬坑涌道5B-5F地下1號
電話：25623879　　傳真：25909385

承印者
美雅印刷製本有限公司

出版日期
一九九五年七月第一次印刷
一九九九年八月第五次印刷

版權所有・不准翻印

ISBN 962-14-0947-0

古書今讀叢書

出版說明

我們的國家，有著數千年的文明。這數千年的文明，用各種各樣的方式記載下來，我們在神州大地上遊覽，為甚麼腳步不時會不由自主地再三猶疑，不忍遽然離去？那就是因為，中華民族的數千年文明以各種面貌出現在我們的跟前，或者是肅立的一個亭子，或者是既流動又凝固了的書法，或者是一彎雖然已經老去卻仍在努力的小橋，甚至，那不過是一塊不起眼的殘片，只是，對我們來說，這已經足夠。

我們當然不會忽略書籍這樣的一種載體。能夠一直流傳下來的老書，就是古書了。古書，我們不會嫌多；事實上，流傳下來的古書也是不多的。這事情裏面，有著一種必然，那是大浪淘沙的必然。大浪，沒有把一切都淘空淘盡，而且讓我們曉得了，甚麼是值得好好珍惜的寶貝。

文明與智慧同在，文明也與寬容同在。時間的流灑，是一種滋潤，使我們的寶貝愈發有著動人的光澤，愈是親炙這樣的寶貝，我們便愈是容光煥發。「古書今讀叢書」出版的目的，便是希望藉著這套叢書的出版，使更多的讀者能親炙這樣的寶貝，得到不同程度的潤澤。由於種種原因，今人讀古書，會有這樣那樣的困難，成為一種阻隔，所以我們以導讀文字輔以漫畫的方法，構築成一彎「拱橋」，讓讀者能愜意地走過去，只要一伸手，就可以觸及那光澤。毫無疑問地，構築這樣的一道「拱橋」，是一項大工程。我們不希望曲解古書，也不要隨意或任意的所謂闡釋，但與此同時，又要於讀者有用，因為這樣，工夫就多了。工夫雖然多，我們樂於這樣去做，同時深願讀者也樂於見到這套叢書的出版，甚麼時候，也為這「拱橋」鼓鼓掌。

三氣周瑜

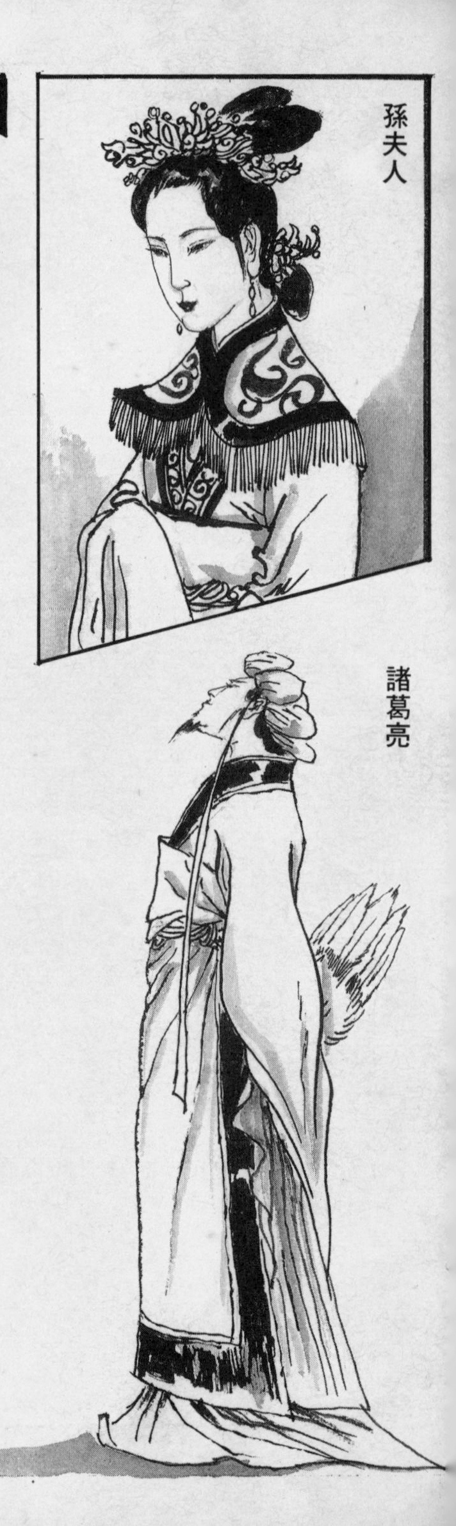

劉備
吳國太

周瑜

《三國演義》主要人物

名、字、號簡表

名	字	號，以及書中對他的其他稱呼
劉備	玄德	劉皇叔、劉豫州、先主
關羽	雲長	美髯公、漢壽侯
張飛	翼德	
董卓	仲穎	董太師
呂布	奉先	呂溫侯
曹操（小名：阿瞞）	孟德	老瞞、曹老瞞
孫策	伯符	小霸王
孫權	仲謀	碧眼兒
徐庶	元直	
諸葛亮	孔明	伏龍、卧龍先生、武鄉侯
趙雲	子龍	
魯肅	子敬	
周瑜	公瑾	周郎、周都督
黃蓋	公覆	
龐統	士元	鳳雛先生
張遼	文遠	
魏延	文長	
黃忠	漢升	
馬超	孟起	
楊修	德祖	
司馬懿	仲達	
龐德	令明	
呂蒙	子明	
陸遜	伯言	
曹丕	子恒	
姜維	伯約	
劉禪	小字阿斗，公嗣	後主
廖化	元儉	
鍾會	士季	鍾司徒
鄧艾	士載	

目 次

一

一氣周瑜

在兩强之間的弱者

劉備與周瑜在赤壁之戰中合力對付曹操，可是與此同時，劉備和周瑜之間又是互相在暗裏角力的。曹操兵敗，實力大爲削弱之後，劉備與周瑜的角力便從暗轉爲明了。

在强者的身上打主意

我們知道，赤壁之戰前的劉備、曹操、周瑜三方，劉備本來是較弱的。相對較弱的劉備與較强的周瑜和曹操周旋，前者自然是較爲吃虧的，在這個情況下，要周旋得法，便得講究戰略和戰術了。光說戰略和戰術，那是頗爲空泛的；偏偏是空泛的詞語，許多人都說得琅琅上口，這不僅於事無補，還會壞事。

弱可以轉强，可是，這裏面有一個複雜的過程，而且弱並非必然可以轉强的。弱難以與强爲敵，但是弱要轉强，並非不可以在强者的身上打主意，儘管這不是弱轉爲强的必由之路。著名的「臥薪嚐膽」的故事，也是許多人所走過的自强之路。臥在柴薪之上的滋味是不好受的，膽汁異常苦澀，那滋味也是不好受的，兩者加在一起，所構成的，就是一種更大的煉歷，足以使人自强，到了最後，就如火中的鳳凰，得到再生，那是更燦爛的生命體。

眞是不可想像的事麼

孔明所依循的，是另一條轉弱爲强之路。

在赤壁之戰裏，他與周瑜是合作爲主，角力爲輔，借助周瑜的軍隊去挫敗曹軍，然後以逸待勞，用自己的軍隊去消磨曹軍的餘勇，同時長自己的志氣。敗走的曹操派曹仁堅守南郡，孔明遂以南郡爲棋子，調動周瑜與曹仁相爭，使後二者兩敗俱傷之餘，自己輕而易舉地得到南郡，讓劉備得到一個據點，休養生息。

這事情是說來簡單，以一個弱者的身分來調動强者，對一些人來說，那根本是不可想像的事。因爲不可想像，所以不敢想像，這末一來，那事情便根本不能發生了。敢於承認自己是弱者，進而以弱者的身分來調動强者，從某個角度看，這已經不是純粹的弱者，甚至可以說是某種意義上的强者了。

舉重若輕①和舉輕若重②

當然，這必須調動得宜，因爲那是不容有錯的。對劉備而言，那是經不起這樣的一錯的。在這末一個前提下，孔明既要舉輕若重，又要舉重若輕。舉輕若重，是由於錯不得，小小的一步也得愼重從事；舉重若輕，則全是因爲心細的同時，卻要膽大，不然猶豫再三，便錯

①舉重若輕：處理繁重的工作像處理簡易的工作那末輕鬆，形容工作能力强。這裏用以指處理重大事件時要有膽量、有魄力，以免錯失良機。

②舉輕若重：「舉重若輕」的仿造語，指處理簡易的工作也要像處理繁重的工作那樣愼重從事。

失良機，對弱者來說，那說不定是千載一時③的機會。

《三國演義》裏，對孔明是怎樣走出這一步的，並沒有細緻的描寫，但是我們不妨進入他所處的環境裏去想一想：自己連一個據點都沒有，要寄人籬下，但又得提防遭人家的暗算，另一方的曹操雖然敗走，卻還是有一定的實力，有他的去處。在這末一個情況下，不管是對周瑜還是對曹操，孔明要分一杯羹，根本是不可能的。然而，孔明所要的，不僅僅是一杯羹。

結果，孔明除了南郡之外，還一口氣得到了荊州和襄陽，大大地扭轉了劣勢。

取得從旁觀戰的位置

孔明是借勢調動了周瑜和曹操。如果周瑜和曹操是聯成一線的話，孔明要活動，便難得多了。周瑜、曹操是相爭相鬥的，這樣，孔明也便有了空間。相爭相鬥的雙方，是難得心平氣和的，所以周瑜給在孔明授意下的劉備輕輕挑撥了幾下，便決然地要進攻南郡。孔明知道，曹操已經一再地有所失，一定會命曹仁死守南郡的。一個強攻，一個死守，而且，孔明還故意讓劉備告訴周瑜，倘若周瑜不取南郡，劉備便會取而代之。這末一來，劉備便大有理由從旁觀戰了。

從旁觀戰的好處是，第一，可以保存實力，以逸待

勞；第二，可以看清楚形勢，以釐訂自己的策略。當然，得以處於從旁觀戰的位置，完全是孔明自己爭取得來的，一方面他逼得周瑜勢成騎虎④，此外，曹操在火燒赤壁之中，給周瑜燒得七竅生煙，也不可能馬上回過頭來跟周瑜聯成一氣，於是只有和周瑜死拚了。

這就湊成了劉備和孔明等從旁觀戰之局。

像是一個超強者命令兩弱者拚死相鬥那樣。

人生和社會裏的戰場

我們看到了，曹仁先按照父親曹操的錦囊妙計，佈下一個「籠中鳥」的陷阱，殺得周瑜傷亡慘重；然後，周瑜又以自己傷重爲計，佈下同樣的一個陷阱，殺得曹仁人仰馬翻。爲甚麼幾乎相同的一個陷阱，周瑜和曹仁先後都會上當呢？這是由於，雙方的心理質素都差不多，誰都不比誰强；而雙方在誘導對方掉入陷阱這事情上，都下了一點兒工夫。不過說到底，所謂下一點兒工夫，畢竟是次要的。

兵不厭詐⑤，這是常說的了。爲甚麼在戰場上特別地不厭詐呢？詐，爲甚麼在戰場上特別地有市場呢？這就是由於，身處戰場的人，往往難以冷靜思考，這末一來，也便難以分辨眞僞了。這不是人家詐的工夫了得，而是自己的視力模糊，到了最後，就是敗在自己的手

③千載一時：一千年才遇到一次，形容機會難逢。

④勢成騎虎：形容處於進退兩難的境地。

⑤兵不厭詐：作戰時允許盡量多地使用欺詐的戰術。

上。偏偏，在人的一生裏，在我們的社會裏，戰場是那樣的多。

面對兩強而有所開創

無疑，對孔明而言，無論是曹仁的計抑或是周瑜的計，都是那樣的美妙，美不勝收，妙不可言，使孔明可以予取予攜⑥，連下三城。

孔明在周瑜和曹操兩強之間周旋，殊不輕易。在一般人的心目中，敵強己弱，則面對一強已是舉步維艱，面對兩強，那是怎樣的一個局面，那是不可想像的了。好一個孔明，面對兩強，卻不是給擠在狹縫之中，而是開創出一片新天地來！

⑥予取予攜：又是拿又是帶的，形容任意取拿。

赤壁兵敗，曹操從華容道脫身，回到南郡。

南郡守將曹仁爲曹操擺酒壓驚。

丞相在患難之時，臨危不懼，今日爲何？痛哭？
？

我哭郭嘉早死，假如郭嘉在，決不會有此慘敗！

我設下密計對付周瑜，你到緊急關頭再拆閱！
是！
我回許都整頓軍馬，前去報仇，你要守住南郡。
是！
夏侯惇鎮守襄陽！張遼鎮守合淝！
是！

曹
曹操安排停當，自回許昌。

這時，周瑜正與衆將商議，準備乘勝攻取南郡。
請！
玄德和孔明現在哪裏？
屯兵油江口。
報！劉備派孫乾帶了禮物前來祝賀。
好！你先回去，我親到油江回謝。

周瑜收下禮物，說要親自回謝。
他的來意是甚麼？
爲爭南郡。
那怎麼辦？
主公可如此如此……
好！就這樣辦！

第二天，周瑜和魯肅來到油江。

都督如不去取，我便去取。
豫州移兵油江，是想攻取南郡嗎？

我如取不下，就由你去取。

我取南郡易如反掌，豈會不去？
曹仁不好對付，勝敗難料。

孔明和子敬作見證，都督不要反悔。

公瑾，祝你成功！
當初是劉表的，現在是曹操的，情況不同。

大丈夫一言既出，決不會反悔的！

主公放心，讓周瑜去斷殺，我們坐收漁利。

軍師，南郡如被周瑜取去，我們到哪裏安身？
當初我勸主公取荊州，你不聽，今日倒想取了？

周瑜派蔣欽爲先鋒，徐盛、丁奉爲副將，速攻南郡。

都督怎麼允許劉備也去取南郡？
我馬上可攻下南郡，落得做個人情。

周瑜隨後接應。

報！吳兵已渡過漢江，來攻南郡。

曹洪，你帶兵去守彝陵，互爲救應。
是！

好！

敵人兵臨城下，怎麼辦？
我軍新敗，應重振銳氣！我願領兵五百出城迎戰！

我乃驍騎將軍牛金，誰來會我？
丁奉來也！

我敵不過你！

丁奉指揮兵馬，把牛金圍住。
牛金不知是計，追入陣中。
牛將軍，我來救你！
牛將軍，快隨我殺出。
徐盛上前攔截，被曹仁殺敗。

東吳先鋒蔣欽在此！
曹仁銳不可擋，又將蔣欽殺敗。
曹仁得勝回城。

蔣欽兵敗來見周瑜。
把他推出斬了！

都督不必親去！我願領兵去取彝陵，彝陵一破，都督再攻南郡，定可成功！
好！

蔣欽本不是曹仁對手，都督饒了他吧！
好吧！放了他！我親自去和曹仁決戰！

甘

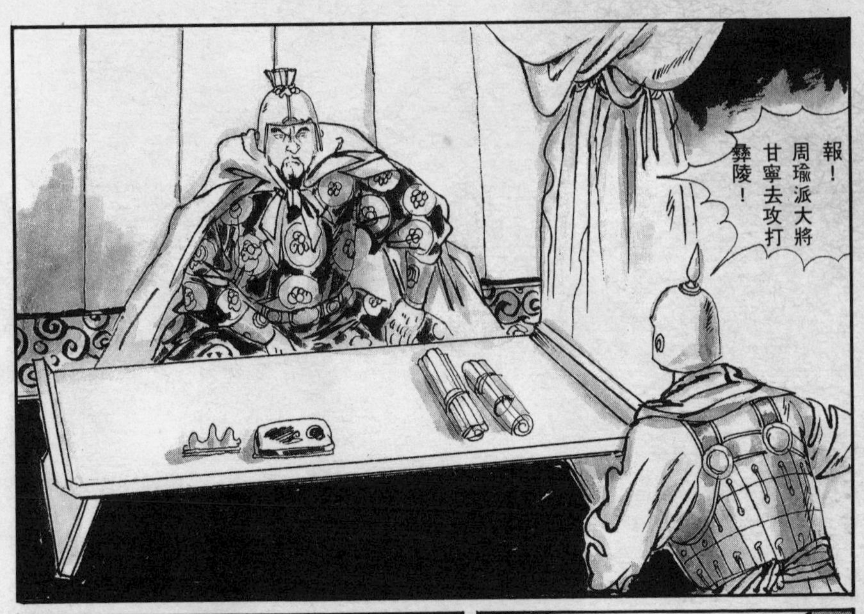
報！周瑜派大將甘寧去攻打彝陵！

彝陵若失，南郡就危險了！曹純、牛金，你倆火速領兵前去救援！

是！

曹純先派人送信給曹洪。
將軍棄城誘敵，待我兵到合圍……

曹洪佯敗
讓甘寧奪了
彝陵。

曹洪迎戰甘寧。

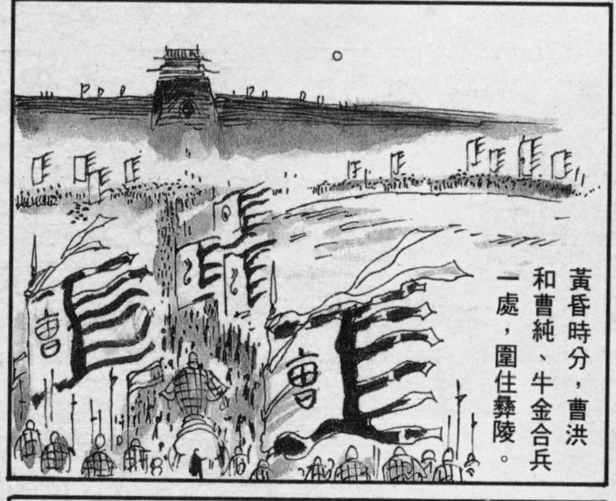
黃昏時分，曹洪
和曹純、牛金合兵
一處，圍住彝陵。

報！
甘將軍
彝陵被
困！

周瑜留凌統
守寨，親往
救援！

周瑜立刻派出五百士兵，砍樹擋路。
途中，呂蒙獻計。
這主意不錯！
周泰躍馬揮刀，殺入曹軍陣中。
誰願破圍而入，通知甘寧？
我去！
甘寧把周泰接入城中。

都督親來救援，內外夾擊，共破曹兵。

曹洪見周瑜領兵前來，列陣迎戰。

甘寧、周泰率軍從城中殺出。

曹軍腹背受敵，往南郡逃去。

通路被堵，曹兵只得棄馬奔逃。

吳軍俘獲大量戰馬。

曹洪等三將逃回南郡。
彝陵失守，南郡孤掌難鳴，怎麼辦？

現形勢危急，丞相臨走留的密計，是拆閱的時候了。
好吧！

哈哈！丞相妙計……大家依計行事！

曹
第二天，曹軍兵分三路，佯作棄城潰逃。
周瑜親自領兵殺向南郡。

周泰殺敗曹仁。

韓當殺敗曹洪。
韓
曹

曹仁、曹洪向西北方向退逃。

幾十名騎兵縱馬衝入城，周瑜隨後。
搶城！
擊鼓放箭！
丞相果然妙計如神！
曹軍陳矯暗伏在城樓上。
嗖——
嗖嗖——

一箭飛來，射中周瑜左肋，翻身落馬。
啊！
不好！中計了！
牛
抓住周瑜，重重有賞！
牛金率伏兵從城中殺出。
徐盛、丁奉拚死上前，救走周瑜。
丞相妙計！
太棒了！
哈哈
曹仁、曹洪又領兵殺回，吳兵大敗。
曹

緊守各寨，不許出戰！
是！
箭頭有毒，痊癒得慢。都督切勿急躁，否則更難痊癒。
軍醫爲周瑜治療箭傷。
都督病重，不如退兵，另作打算。
曹仁派牛金到寨前罵戰。
快叫周瑜草包出來交戰……
中軍

第二天，曹軍又來罵戰！
周瑜是膿包！周瑜是膽小鬼！

曹軍天天來辱罵，爲甚麼不出戰？

都督傷口未癒……
那你們打算怎麼辦？

想暫且退兵……

大丈夫戰死疆場，死而無憾！怎可因我一人受傷，誤了國家大事！

開寨迎戰！

曹仁匹夫，周郎來了！
周瑜小賊，你難道死了嗎？

大家一起叫罵！

周郎中計挨毒箭，壽命不長快要完，……周郎一死，東吳必亡……
啊……
周瑜口吐鮮血，跌下馬來！

程
曹仁率兵衝殺，程普率衆將抵擋，把周瑜救回。

都督身體怎樣？

沒甚麼。我這是用計，可說我死了，令各寨掛孝，曹仁必來劫寨……
好計策！

報！周瑜箭瘡迸發而死，東吳各寨均掛孝致哀。

哈哈！周瑜死了！陳矯留下守城，其餘人馬今夜都去劫寨！
初更時分，曹仁領兵殺向周瑜營寨。
糟！中計了！快退兵！
轟轟！轟轟！
衝啊！殺啊！

曹軍被衝得七零八落，大敗潰逃。
曹仁無法再回南郡，向襄陽逃去。
曹仁、曹洪等想從小路逃回南郡，遇到淩統、甘寧截殺。
我奉軍師將令，已經取下南郡了！
天色大亮，周瑜率軍來到南郡城下。

放箭！

攻城！

各領兵五千。甘寧攻取荊州；凌統攻取襄陽！
周瑜收兵回營。

是！

報！諸葛亮用兵符詐調荊州軍馬救援曹仁，派張飛襲取了荊州。
人馬還未出發。

報！諸葛亮用兵符詐調襄陽軍馬救援曹仁，派關羽襲取了襄陽！

諸葛亮哪來的兵符？
他取了南郡，捉住陳矯，兵符便到手了。

氣死我了！

半晌，周瑜醒來。
我一定要殺了諸葛亮，奪回三城！程普，你先率兵去打南郡！

難道眼睜睜看着劉備坐享其成？

不可！鷸蚌相爭，漁翁得利。如果曹操乘虛而來，那就太危險了！

我去和劉備說理，若說不通，再動兵刄也不晚。
那好，你去試試！

魯肅來到荊州，劉備、諸葛亮熱情接待。
我們東吳拚死作戰，皇叔卻坐享三城，這說不過吧！
差矣！荊襄原是劉表的，我主公幫劉琦奪回荊襄，名正言順！
如是公子劉琦佔據，那倒說得過去，可劉琦不在這裏呀！
誰說不在？公子，請出來相見！

有病不能行禮，請子敬不要見怪。
公子身體欠安，快請休息！

如公子不在了，得把城池還我東吳。
那好吧！

魯肅回寨，告知周瑜
劉琦年紀很輕，哪會很快就死？

都督放心。劉琦已病入膏肓，活不過半年，那時討還荊州，包在我身上。
報！主公使者到！
請他進來。

好的！都督安心養病。
主公久攻合淝不下，令都督調兵前往相助！
程將軍，你領兵去救援主公吧！
程
程普率軍前往合淝。
周瑜自回柴桑養病。

二

零陵之戰

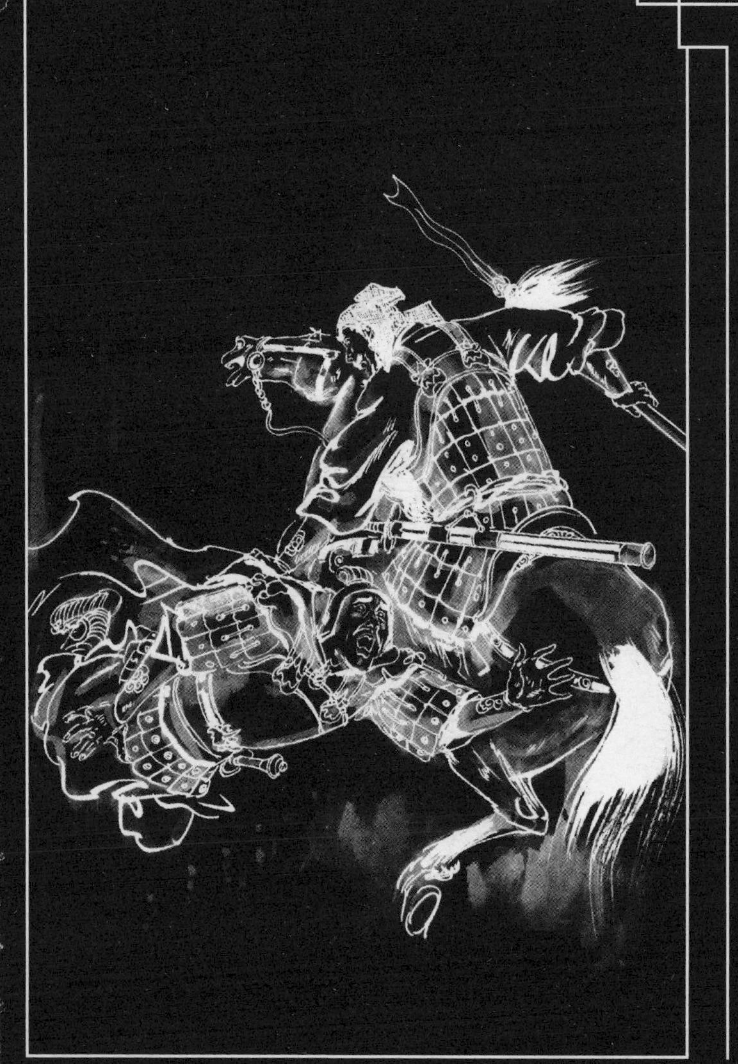

一山而能藏三虎的契機

有一句常常被人引用的俗語，叫「一山不能藏二虎」，意思是說，虎愛獨行獨往，兩虎相遇，必會相鬥；另一層意思是，如果一個地方的兩個人，同樣地有本領而引以爲傲的話，往往也不能共事。

「三虎」各奪一郡的戰功

劉備有關雲長和張飛，後二者堪稱爲二虎，再得趙雲之後，便共有三虎了。這三虎如何共事呢？

如果不僅是二虎，連三虎也能共事，便必然有着極大的威力。不過，這方面的例子，卻是難得一見的，便是在《三國演義》裏，也是如此。關雲長和張飛這二虎，有着一種獨特的關係，他們是在一開始的時候，便和劉備一起結拜成爲兄弟的；他們一起共過患難。趙雲是後來者，可是，後來者還有孔明。

赤壁之戰後，劉備連得荊州、南郡、襄陽，爲了得保戰果，他聽取當地謀士馬良的意見，要把位於荊州之南的零陵、武陵、桂陽和長沙等四郡都納入自己的版圖，其中的零陵是劉備等合力而取得的，此外，桂陽、武陵、長沙三郡則是分別依次由趙雲、張飛和關雲長攻下的。三虎各奪一郡，可以說是戰功相等，不傷和氣，劉備的版圖也因此而能夠迅速擴展。

有着一種有效的做法

這無疑是最好的一種結果。我們要問的是，這種結果是怎樣得來的？如果裏面有着一種有效的做法，而這種有效的做法又能夠得到很好的推廣的話，那末，我們面對的許多問題不是絕大部分都可以得到解決了麼？

這個世界上無疑有例外的事，只是，例外的事是從來不多的，我們即使是一般地推論，亦幾乎可以肯定，劉備的三虎能不傷和氣地各得一郡，也多半不是出於例外，例外地各不相爭：關雲長和張飛是結義兄弟，所以讓趙雲先出戰，攻佔了桂陽；關雲長年長於張飛，於是接下來得立戰功者，就是張飛，而如此這般，關雲長便居末了。事情並非如此的。

看孔明和劉備的決定

張飛和趙雲爭得最明顯，也最厲害。劉備取下零陵之後，問誰願意攻打桂陽，因爲趙雲較張飛先應聲，故選了趙雲，但張飛不服；接着孔明建議拈鬮，拈着的又是趙雲，可是，縱使如此，張飛還是執意要去。這種場面，是不是不容易應付？到了這個時候，那個莽張飛還說，他只要獨領三千兵馬，便可取得城池，無論如何，他就是不要讓趙雲先取得戰功。當然，到了這一步，倘若趙雲拱手相讓，那便解決了問題，偏偏趙雲說，他也同樣是獨領三千兵馬足矣，而且，他還加了一句話，要是攻不陷城池，願受軍令。

這就是各不相讓之局。張飛是不講理，趙雲則是得勢不饒人。這時，我們要看的，就是孔明和劉備怎樣下決定了。孔明結果是選了趙雲，因爲按理應是趙雲去的。他不可能因爲顧慮到劉關張結義的關係而棄趙雲取張飛，如果這樣做，他便一下子盡丟了自己的威信。

孔明這決定是對的，可是，張飛仍說他不服。

還喝退了一個老頑固

無疑，張飛的不服是發自心底的。他是一千個不服，一萬個不服，如果那不是趙雲，而是他的關義哥，那還罷了！還有，作出選擇的不過是孔明，算來算去，總是外來人，最可以說話的居長的義兄劉備並沒有說甚麼，他張飛自然可以不服到底了。

到底，還是劉備喝退了張飛。

在那一刻，只有劉備有這樣的一份能耐。在那一刻，他同時喝退了的，還有「任人唯親」這個老頑固。結義兄弟，當然也是一種親，但更重要的，是客觀量度的、一般地適用的標準。誰都得在這標準前量度一下，看看有沒有問題，如果有問題，誰都不能過關。只消眞

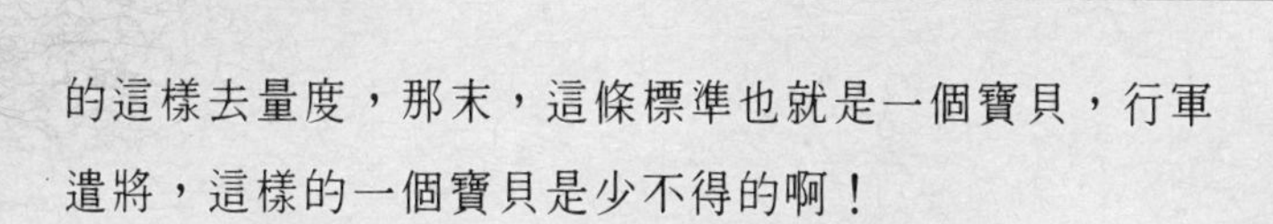

的這樣去量度，那末，這條標準也就是一個寶貝，行軍遣將，這樣的一個寶貝是少不得的啊！

張飛的忿忿有其必要

於是劉備喝退了張飛。不是勸退，不是斥退，而是最嚴重的喝退。一個是不喝不退，一個是不喝不足以顯示其行爲之惡劣，所以便不喝不行了。

劉備還有着這樣的一份本事。一位領導者要服衆，這樣的一份本事是不可缺少的。

在劉備的大喝聲中，張飛忿忿地退下，孔明也沒有加以安慰。他自然早已把張飛的忿忿看在眼底，只是，他以爲，張飛的忿忿是有其必要性的，這一方面因爲賞罰不分明是管理者的大忌，此外，他也有意磨一磨張飛，「天將降大任於斯人也，必先勞其筋骨，餓其體膚①」，孔明自然是深明此理的，要驅使張飛在奪取其餘目標中立下軍功，還不是最主要的。不像一些管理者，只要下屬鬧鬧情緒，便會交出原則；雖然張飛不僅是鬧鬧情緒，而且他還有所恃，但孔明何許人也，怎會就這樣後退，更不會退避三舍②了。我們又同時看到，孔明並不因此針對張飛，對張飛記恨在心。待趙雲攻下桂陽，張飛請纓攻取武陵，孔明要張飛也像趙雲那樣，首先立下軍令狀，這個做法，也並非有失於偏頗，而是

①天將降大任…餓其體膚：原話出自《孟子．告子下》，老天爺要把重大的責任交給那個人，一定先勞累一下他的筋骨，餓一餓他的體膚。（以看一看他能否經受得住考驗）。

②退避三舍：典故出自《左傳》，指主動作出的重大退讓。舍，春秋時行軍三十里爲一「舍」。

要使張飛變得理性些，處理好進攻的事。客觀上，孔明是幫助了張飛的。

劉備親往接應的玄機

趙雲和張飛先後立功，餘下了的關雲長急於後來居上，他除了要攻打長沙外，更要只帶其本部的五百名校刀手，便把長沙攻下來。關雲長明顯地是要逞能，他完全不把長沙的六旬老將黃忠放在眼內。孔明勸阻不了，便建議劉備親自帶兵前往接應。這個建議也自有其道理的，本來，趙雲和張飛都是可以帶兵前去接應的，這二虎都有這樣的能力，問題是，關雲長此時正不甘心處於二虎之後，是絕對不會接受趙張的接應的，劉備親自前往，只會彰顯出關雲長地位的重要，所以關雲長是會接受的。孔明的每一個部署和每一個安排，都是有的放矢，箭無虛發的。

「一山」而能藏「三虎」，孔明固然是煞費心機，但處理得妥貼，孔明的事業也由此而大發展起來了！

劉備得了三城，十分高興，和衆將商議長遠之計。

伊籍向劉備推薦了賢士馬良，劉備任命他爲從事。

要守衛荊州，必須南征武陵、長沙、桂陽、零陵四郡……

好！那先取哪一郡？
零陵最近，宜先取。

劉備留關羽守荊州，和諸葛亮一起，親率大軍向零陵進發！
劉
張

劉備兵到，怎麼辦？
零陵太守劉度和兒子劉賢商議。

報！劉備率軍向零陵而來！

父親放心！我和上將邢道榮出城抵敵！

我是諸葛亮，曹操百萬大軍已被我殺敗，你們何不投降？

你等反賊，爲甚麼犯我境界？

諸葛亮回陣，邢道榮緊追。
赤壁鏖戰，是周郎之謀，與你何幹？

燕人張飛在此！

常山趙子龍在此，快下馬投降！

願降。
怎麼捉？
今夜軍師可來劫寨，我做內應，把他捉住。

邢將軍，你要捉住劉賢，便准你投降！
好的！我去捉他。

好！放他回去！

邢道榮回寨，把實情告訴劉賢。
現在怎麼辦？
我們將計就計，埋伏兵馬，等諸葛亮來劫寨，活捉他！
好！

當夜二更，果有一支人馬前來劫寨放火。

諸葛亮中計了，衝啊——
殺呀——

劫寨軍士紛紛潰逃。

不好！中諸葛亮計了，快回寨！

咦？怎麼人都不見了？
劉賢和邢道榮追了十多里。

好！
不可入寨，我們也去劫他們的營寨！

張飛在此！不怕死的過來！
張
?

劉賢，你逃不了啦！
剛走不遠，趙雲殺出，一槍刺死邢道榮。
你回去勸你父親投降，不然打破城池，滅你滿門！
我一定勸父親投降！
劉度開城投降。
劉備入城安民，百姓夾道歡迎。

三

戰長沙

戰長沙，其實是關雲長大戰老將黃忠。黃忠年近六十歲，卻仍然能征慣戰，獨力與關雲長大戰三天而面不改容，互有勝負，打個平手。

兩軍對壘卻打不下去

這場大戰，中間有着微妙的變化。關雲長在出戰之前，他把黃忠稱爲「何足道哉」的一名「老卒」，可是，當他第一仗與黃忠大戰一百多個回合而不分高下之後，便已經以「名不虛傳」取代「何足道哉」，又以「老將」取代「老卒」了。

到了第二仗，關雲長放了黃忠一馬；第三仗，黃忠投桃報李①。至此，關黃之戰，實在已經打不下去了，儘管兩軍還是處於對壘的狀態。

不以一人得勝而作結

打不下去，因爲關雲長與黃忠二人互相欣賞。兩軍對壘，可是兩軍的主將卻在互相欣賞；這也就是說，關雲長與黃忠已經在對壘的狀態裏超脫出來，互相不再視對方爲敵人了，而且是互相敬重了。

這末一來，無論是關雲長還是黃忠，爭勝之心都已大減。這事情裏面，是不是有着一定的荒謬成分呢？起

①投桃報李：語出《詩經》，你送我桃子，我回贈你李子，比喻互以禮物贈答。

碼，裏面是有着頗爲矛盾的東西。無疑，關雲長和黃忠仍然是各爲其主，否則他們也便不會打下去。

關黃之戰，最後不是以其中一人得勝而作結，不是我們慣見的常規。後來，黃忠的一方出現了內鬨，他的主人韓玄被另一將領魏延殺了，於是，關雲長得以不戰而勝，奪取了長沙。

朝意想不到之處轉變

世界上的事，不時都會朝我們意想不到的方向轉變。意想不到，那是因爲我們太習慣於常規的緣故。常規以外，便是意想不到了。常規，當然要看，有時甚至要加以尊重，只是不要只有常規。嘗試不從常規的角度視物，觀感一新，便會得到一個發展的空間。關雲長初時的「何足道哉」和「老卒」，就是一種常規，但事實告訴他，世界上不是只有常規，他也接受了；韓玄以爲黃忠與關雲長在戰場上的互讓，必是有不可告人之秘，因而要殺黃忠，那又是只依了常規，沒有想到常規以外的可能性。

可以說，這是一個饒有味道的不依常規的故事。

接着，張飛奪取了武陵。
張
張

劉備乘勝進兵，派趙雲攻取了桂陽。
趙
趙

我願領兵去取長沙……
關羽寫信向劉備請戰。

關羽在荊州接到戰報。
翼德、子龍都立下戰功，我怎甘落後！

劉備調張飛去替關羽守荊州。
劉

關羽來到前綫，討取軍令。

長沙老將黃忠十分厲害，雲長前去要多帶些兵馬！

關羽率兵出發。
不必了！
二弟，你千萬不要輕敵，還是多帶些人馬爲好！

一個老兵，怕甚麼？我只帶本部五百人馬即可！

劉備怕關羽有失，自率大軍接應。

長沙太守韓玄聽說關羽兵到，聚衆將商議。
別擔心！憑我這口大刀，還有百發百中的硬弓，教他來一千個，死五百雙！
好！你領兵一千，出城迎戰！
關羽有甚麼了不起！不用老將軍出馬，讓我去活捉他！

楊齡領兵迎戰，
不到三個回合，
被關羽一刀殺死！

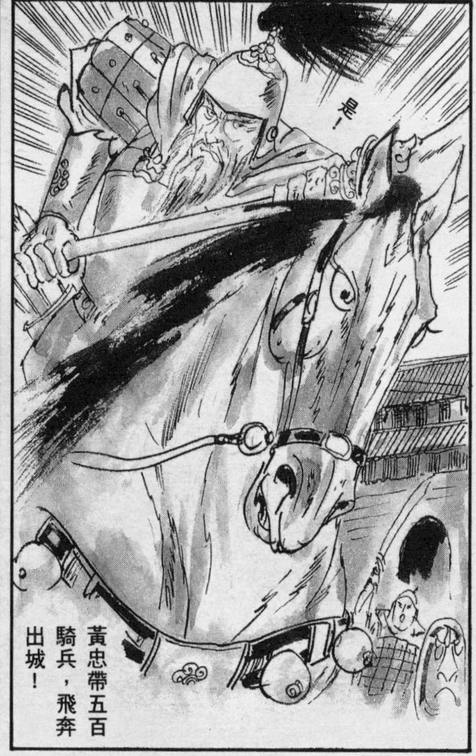
是！
黃忠帶五百
騎兵，飛奔
出城！

關羽果然
名不虛傳。
黃忠，你快
領兵出戰！

既知我的大名，還不快快退兵？
來將可是黃忠？
我是特地來取你腦袋的！

韓玄怕黃忠年老力怯，鳴鑼收兵。
嘡！嘡！
黃忠刀法純熟，是個將才。明天得用拖刀計勝他！

兩人大戰一百回合，不分勝負。

戰了幾十回合，關羽假裝不敵，回馬便走。
第二天，又戰！
關羽正想用拖刀之招，黃忠馬失前蹄，被掀倒在地。
完了！
黃忠拍馬緊追。
我先饒你性命，快換馬來再戰！

怎麼回事？
這馬久不上陣，所以失蹄跌倒。
黃忠急忙上馬，飛奔回城。
你的箭百發百中，爲何不尋機射他？
好吧！明天用箭！
難得雲長如此義氣，他不忍殺我，我又怎忍心射他？不射，又違反將令。
這匹大青馬送給你！
謝過主公！

第三天，兩人第三次交鋒。

戰了三十回合，黃忠假敗，關羽緊追。
磞
咦？怎麼沒箭？

黃忠又虛拉弓弦，
關羽急忙躲閃。
嘣—

關羽縱馬又
追了上來！

咦，
又沒箭，看來
他不會射箭。

黃忠神箭，
他這是報我
昨天不殺
之恩。
關羽勒馬回寨。
關

關羽縱馬
再追，黃忠
一箭射來。
不好！

我有甚麼罪？
拿下！
關羽昨天不殺你，你今天也不射死他，豈非通敵？來人，推出斬首！
眾將求情。
誰再爲黃忠說話，一起斬了！

魏延衝上前來，揮刀殺死刀斧手，救下黃忠。

韓玄殘暴不仁，願殺他的，跟我來！
好！去殺韓玄……
韓玄一向不得民心，立刻有數百百姓響應。
魏延開城投降。
魏延衝上城頭，把韓玄殺了。
關羽入城，安撫百姓，派人向劉備報捷。
關

不久，劉備大軍來到長沙。
黃忠……

關羽派人去請黃忠。
告訴關將軍，我有病，不能前去。

劉備來到黃忠家再三相請，黃忠終於歸降。

黃忠如此忠勇，我親自去請。

劉備不解。
魏延是有功之人，何故殺他？
關羽又引魏延來見諸葛亮。
把魏延推出斬首！
主公說情，饒你一命。若敢不忠，小心腦袋。
他殺韓爲不忠，獻城乃不義。內有反骨，不如斬了，絕斷禍根。
殺了魏延，以後誰還投降！
劉備平定了零陵、桂陽、武陵、長沙四郡，實力大增，建起自己的基業。

四 孫權戰合淝

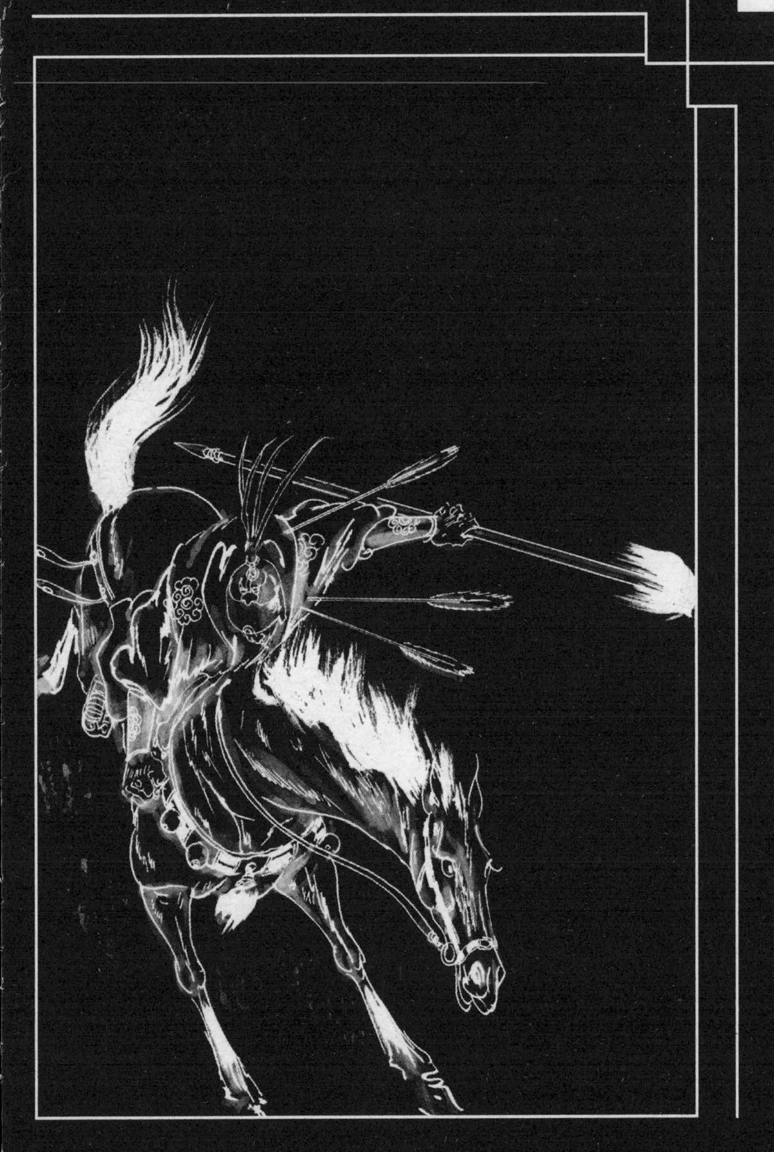

這裏面有走向成功的必然

孫權在合淝，面對由張遼等率領的曹兵，久戰不下。後來，程普領兵來與孫權滙合，張遼即下戰書。孫權認爲張遼這樣做，是瞧他不起，於是怒氣沖沖地只領自己本部兵馬，乘夜進襲張遼。

產生萬人之上的效應

孫權意氣用事①，不僅是犯了兵家大忌，便是做任何事情，都是不容許的。如果做的是大事，便更不可以這樣。帶兵，算是大事，因爲主將的一次錯誤的決定，會帶來許許多多人命的傷亡。

這一點，孫權當然不會不曉得，問題是，倘是在家裏，他還要聽聽母親吳國太的說話，到了外面，他便是「萬人之上」，除了自我監督，便再也沒有任何掣肘了。我們這裏要注意的是，所謂「萬人之上」的「萬人」，算的不是一個實數，即使是幾個人，那末，管理這幾個人的，只要飄飄然起來，也便會產生「萬人之上」的效應了。偏偏有的人就是如此，雖然管的只有幾個人，同樣會無限地膨脹，彷彿整個宇宙都是自己的了。

壯志有時與笑話同義

這一仗，孫權是「乘興而去，敗興而返」，除了落敗

之外，還折了宋謙一將。人家勸他不要「恃盛壯之氣」，他表面上是接受了，卻還是只盯着宋謙，只盯着張遼，再度同意太史慈草草提出的一個裏應外合之計，聽不入諸葛瑾的忠告，便急急出兵。結果是，這一仗，連太史慈都受了重傷，不久便死去了。

太史慈死前，有壯志未酬之恨，但也只有無奈地含恨死去。懷有壯志固然是好事，更重要的，是如何才能夠使壯志得以達成，後者，需要有真正的本事，需要有可行的計劃，需要聚凝得一羣志同道合者，……，是絕對的不簡單。許多時候，所謂壯志，與笑話是同義的，這裏所說的，並非針對太史慈一個人；事實上，太史慈的死，孫權恐怕得負上更大的責任。

誰使太史慈傷重而亡

諸葛瑾所說的「張遼多謀，恐有準備，不可造次②」，是很有道理的。張遼在白天打了一場勝仗之後，晚上反而提高了警戒，說：「爲將之道，勿以勝爲喜，勿以敗爲憂。」他是這樣說的，也是這樣做的。能夠這樣做，那才眞的不容易。做到「勝不驕，敗不餒」，需要的是一種很高的自我要求和要具備了長遠的眼光，這決不是一下子便可以達至的。在合淝打的這兩場仗裏，張遼便比孫權站得高，看得遠。

①意氣用事：只憑感情辦事，缺乏理智。
②造次：魯莽。

太史慈的內應於午夜在後寨放了火，繼而製造了一片叫反之聲，但張遼表現得很鎮定，他說：「豈有一城皆反者？此是造反之人，故驚軍士耳。」面臨午夜猝然起火、叫反而能夠鎮定自若，因爲早就有了充分的估計，又只有鎮定，才可以作出準確的分析，從而可以應變自如。接下來，張遼還可以反客爲主，化被動爲主動，將計就計，引太史慈入局，使太史慈身受重傷。

事情的成功失敗，會受到一些我們捉摸不到的偶然因素和其他的一些因素影響，但總的來說，最關鍵的還是自己，自己的眼界，自己的氣魄，自己的本事，自己的識見，自己的策略，等等，這些東西加起來，我們也便可以清晰地看見，成功就在眼前，幾乎是伸手可及了！

孫權自赤壁大戰後，親自率兵攻打合淝。
孫

他和張遼打了十幾仗，各有勝負。

報！程將軍率援軍即刻就到，魯校尉先到。

主公！

我下馬迎候你，足以提高你的聲譽吧？

沒有。

那怎樣才能提高呢？
願主公威震四海，成就帝業，使我名垂史冊，那才是我希望的！

……咯咯咯

參見主公。
不一會，程普兵到。
我久攻合淝不下，你等可有妙計？
報！張遼派人送來戰書！
欺人太甚！他知道程普兵到，故意溺戰，明天不用援軍，看我大戰一場。

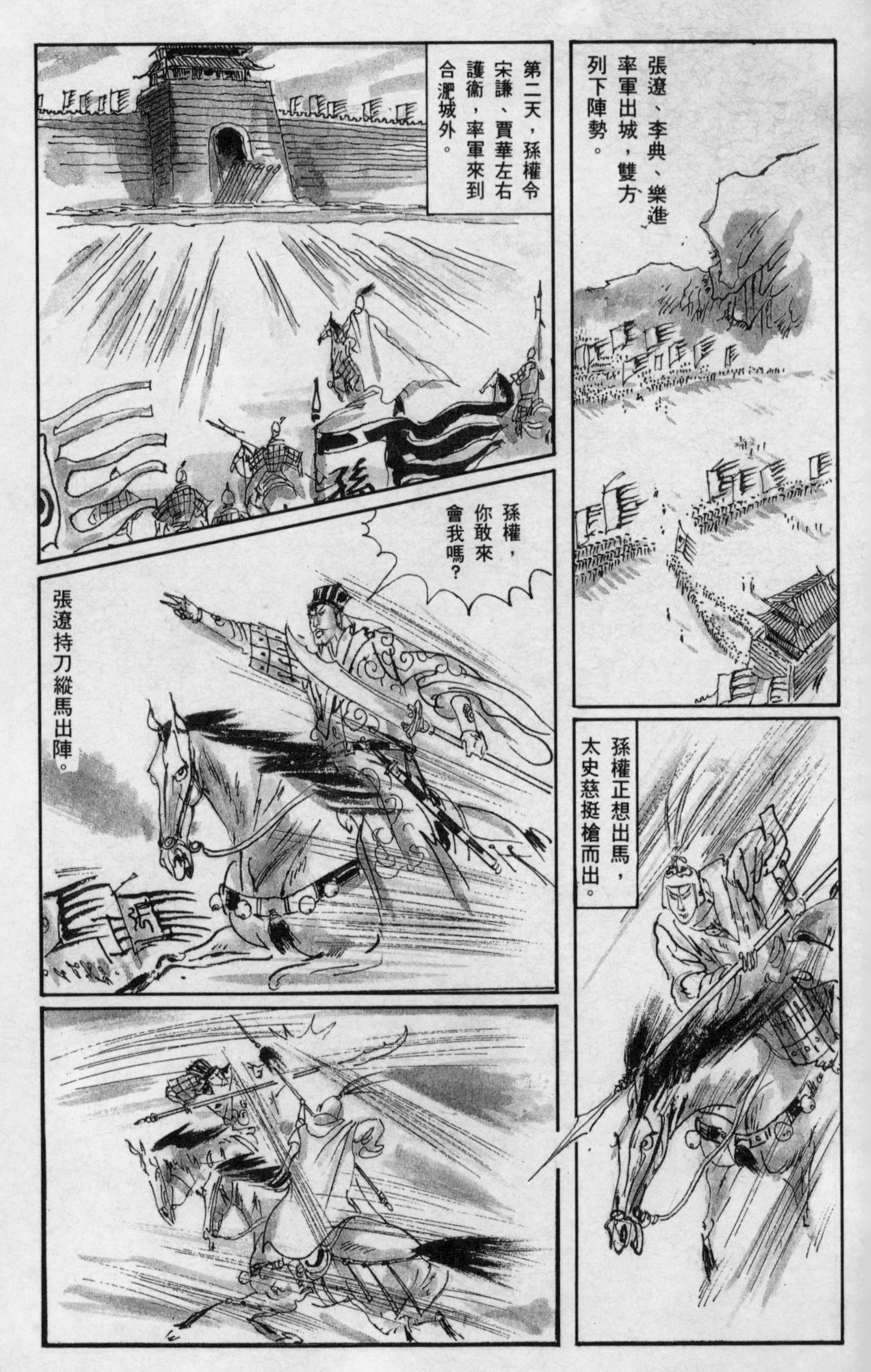

張遼、李典、樂進率軍出城，雙方列下陣勢。
第二天，孫權令宋謙、賈華左右護衛，率軍來到合淝城外。
孫權，你敢來會我嗎？
張遼持刀縱馬出陣。
孫權正想出馬，太史慈挺槍而出。

對面頭戴金盔的是孫權。若捉住孫權，足以爲八十三萬大軍報仇！
李典對樂進說。
樂

兩人戰了七八十回合，不分勝負。

孫
樂進飛馬而出，直取孫權。

宋謙、賈華
兩戟齊架！

主公
快走！

咔嚓——

李典一箭射來，
宋謙翻身落馬。

張遼乘勢掩殺，吳兵大敗。
太史慈無心戀戰，撥馬回陣。
張
張

孫
孫權，你往哪裏逃？
張

張遼不要逞兇，程普在此！

程
張

孫權回營，因折了宋謙，放聲大哭。

主公憑一時之勇上陣，才有宋謙之死。今後應以王業爲重，不要親自上陣厮殺！

你說得對。今後改過。

我部戈定，與張遼的後槽，相約刺殺張遼，我願爲外應。

戈定人呢？
已混進合淝城了。

不會的。主公，讓我去吧！
好吧！祝你成功，爲宋謙報仇。

張遼很有計謀，只怕已有準備。

今日大勝，爲甚麼不讓大家好好休息一下？。
不能讓勝利衝昏頭腦，今夜防備須更加小心。

傳令夜間提高警惕，不許解甲睡覺。

半夜，後寨火起。
造反了！有人造反了！
不好了！有人造反了！
報！有人造反，城中一片混亂！
報！後寨有人造反

不要慌亂！這是有人故意製造混亂！
張遼即刻上馬，當街而立。

說！誰叫你們這樣幹的？

不多一會，李典把戈定和後槽抓來。

把兩人斬首！

戈定和後槽供出了實情。
是……

報！城外有吳軍殺來！

這是吳兵外應，我們將計就計，放他們進城！

太史慈一馬當先，挺槍入城。

轟！
一聲砲響，亂箭齊放！

太史慈身中數箭，急忙退兵。

陸遜、董襲領兵殺出，救回太史慈。

孫權收兵回南徐潤州。

不久，太史慈傷重而死，孫權痛哭。

太史慈，我一定替你報仇？

五

劉備招親

視野大小對一進一退的影響

赤壁之戰後，曹操元氣大傷；劉備得荊州等地，招兵買馬，實力漸漸增强。這末一來，曹操、劉備和孫權開始形成了鼎足而三①之勢。我們看到，這三方在考慮進退的時候，也多以這末的一個形勢來作基礎。

劉備喪妻成周瑜之美

特別的是，因爲鼎足而三之勢還不是十分明朗，存在一定的模糊空間，又由此帶來了彼此的猜疑。這三方都不甘於落後，都有逐鹿中原的野心，甚至要一統天下，正因爲這樣，各種各樣的活動便非常的頻繁。可以說，這各種各樣的活動都是爲了一個目的，那就是捕捉機會，爲自己所用，此長彼消。

到了某一個層面，機會可以說是無處不在的。其中一個例子是，劉備喪妻，周瑜便看成是大好機會，可以藉此而收復荊州，予劉備最大的打擊。喪妻之痛，自然是一種大悲哀，這一點，屬於人情之常，三十多歲的周瑜不會不曉得，可是，他完完全全的置之不顧，所考慮的，完完全全是怎樣的乘虛而入。周瑜安排以孫權的妹妹爲香餌，讓劉備前來迎娶，然後把劉備捉下來，這就可以跟孔明討價還價了。

周瑜以孔明彰顯自己

不過，周瑜的這個做法也是太露骨了，連在悲痛中的劉備也看得出他是不懷好意。我們讀《三國演義》，總會覺得周瑜特別喜歡用計，而且特別喜歡在孔明面前用計。也許，那才可以彰顯他的高明；他臨死前說的「既生瑜，何生亮②」，就是在這一點上，對他很好的寫照。其實，成語「一時瑜亮③」，把周瑜和孔明（諸葛亮）並列，無疑是滿足了周瑜的，可是在客觀上，到底是抬舉了周瑜。孔明從來不把周瑜放在眼內，事實上，他也是很能夠調動周瑜的，「三氣周瑜」，似乎並不怎樣花費他的力氣。

面對孔明，周瑜並沒有自知之明。也因爲這樣，孔明才能夠氣他；到了最後，他還給孔明氣死了！本來，天下間不是只有一個孔明，例如，孔明所敬重的鳳雛先生——龐統便是一位，而且還是居於東吳，只是孫權以貌（龐統生得「濃眉掀鼻，黑面短髯」）取人，他不喜歡龐統的長相，終於是棄而不用。這不是龐統的損失，而是孫權的損失。以貌取人，是頗會出現偏差的，比方說，「大奸似忠」，便往往是以貌取人者的一個很大的危機。

①鼎足而三：古時候的鼎有三個足支撐。所以人們以「鼎足而三」比喻三種勢力同時並峙。

②既生瑜，何生亮：周瑜臨死前的慨嘆：「老天爺，你既然生了周瑜，爲甚麼又生出一個諸葛亮來呢？」

③一時瑜亮：形容同一時間出現兩位相互輝映的英雄人物，正如在三國時代同時出現周瑜和諸葛亮一樣。

鼎足而三之勢有變局

周瑜以孫權的妹妹（孫夫人）作爲香餌，結果是「賠了夫人又折兵」，還給孔明氣得箭瘡迸裂。孔明的成功，最關鍵之處，是他看準了「孫夫人」是周瑜和孫權私底下安排的香餌，但劉備大可以弄假成眞。他讓劉備的迎娶隊伍一開始便大張旗鼓，使消息很快便傳到孫權的母親（吳國太）和喬國老那兒去，這末一來，私下用計的周瑜和孫權便處於被動的位置了，何況孫權還是一個大孝之人。周瑜和孫權要以孫夫人許配劉備是假的，而劉備的喪妻和迎娶孫夫人卻是眞的，加上劉備的出身（漢室宗親）和儀表也使吳國太滿意，決定招他爲婿。事情發展到了這一步，劉備身邊即使沒有趙雲和那五百軍士，也是安然無恙的了。

劉備回到了荊州，周瑜和孫權仍然是耿耿於懷。另一方面，密切注視着劉備和孫權兩方的一舉一動的曹操知劉備得了荊州，而孫權又把自己的妹妹嫁給劉備，亦不禁心慌意亂，因爲，如果劉備强大了起來，而劉備和孫權又結成了一家，那末，曹操的處境便是極爲惡劣了。曹操的對策，便是以自己的丞相的身分，表奏周瑜爲南郡太守，使周瑜多一分爲朝廷效命之心，復使周瑜心雄，要再奪荊州，這樣曹操便可以從中取利了。

不久，劉琦病故，
孫權得知，即派
魯肅前往討還荊州。

你受騙了！

劉備立下文書，
待取了西川，把
荊州歸還東吳。

你在這裏暫住，
我派人去荊州探得
消息再說。
那怎麼辦？

報！劉備的甘夫人死了……

好！我有討還荊州之計了！
公瑾有何妙計？

主公有一妹，只須……，還怕討不回荊州麼？
好計！

周瑜書信一封，魯肅帶信到南徐面見孫權。
子敬，情況怎麼樣？

劉備立下文書，待取了西川再還。

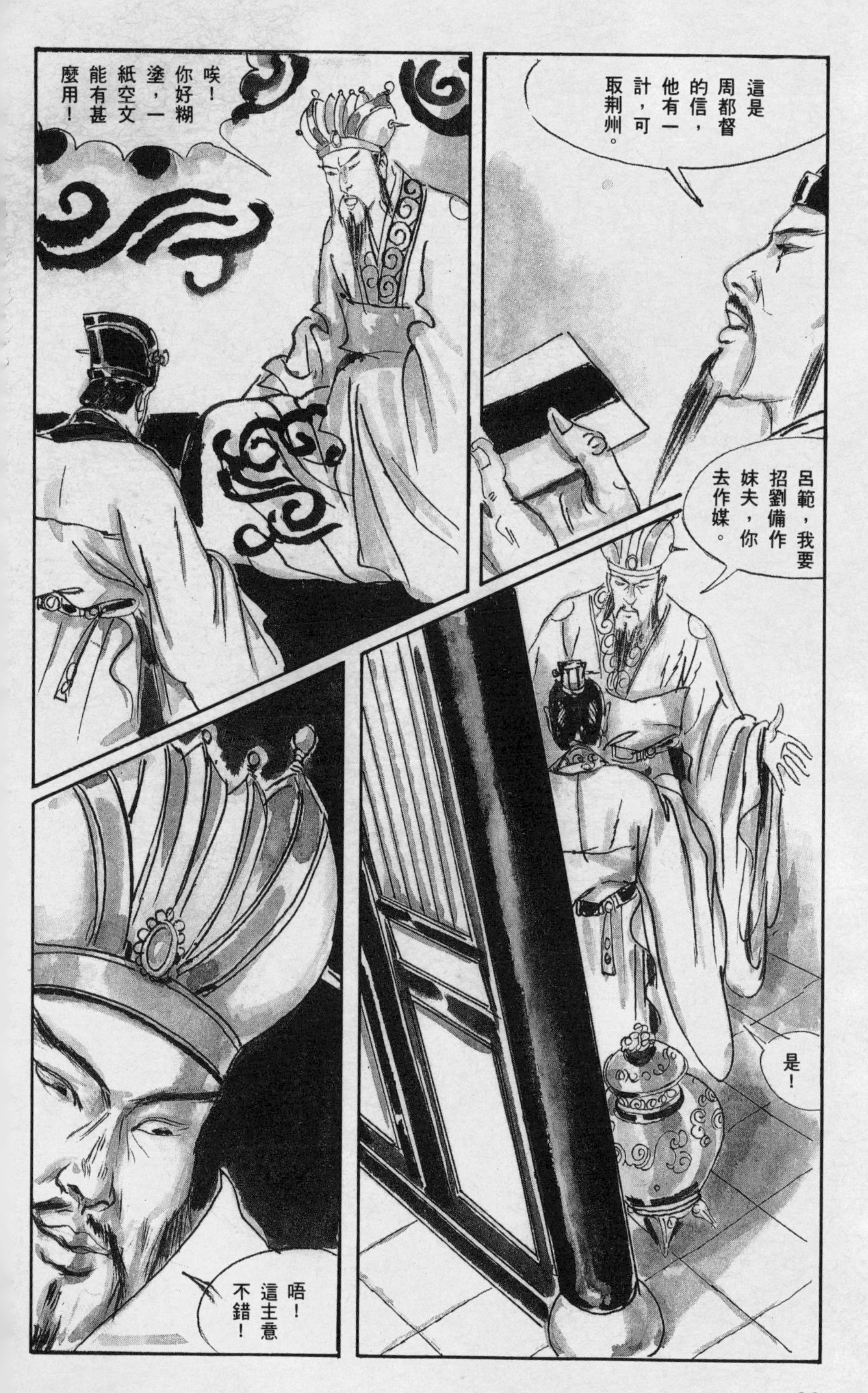
這是周都督的信，他有一計，可取荊州。
唉！你好糊塗，一紙空文能有甚麼用！
呂範，我要招劉備作妹夫，你去作媒。
是！
唔！這主意不錯！

周瑜又耍甚麼招，我先聽着，有事再作商量。

報！東吳呂範求見。

現有一一門好親，特來作媒。

我妻子剛去世，怎忍心馬上議親？

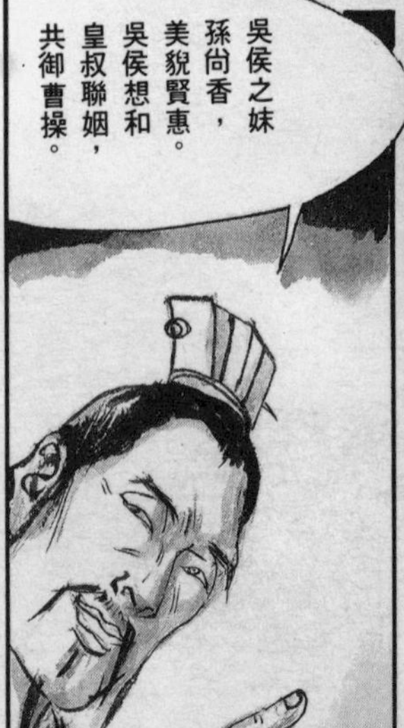
吳侯之妹孫尚香，美貌賢惠。吳侯想和皇叔聯姻，共御曹操。

我年過半百，恐怕不相配吧！

郡主非英雄不嫁，正好與皇叔相配。只是國太不忍女兒遠離，要皇叔去東吳成親。
我先想想，明天給你答覆。
我都聽到了，主公派人去東吳，定個好日子成親吧！
周瑜定計害我，我怎能自投羅網？
主公放心！我只要略施小計，保證主公既娶到郡主，荊州又萬無一失。

孫乾來見孫權，正式訂下親事。
孫乾，你作男方媒人到東吳去說合親事。
是！
孫乾回來稟報
太危險，我不能去。
主公放心，由趙雲保你前去，我已授他三條妙計，保證你安全回來！
那好吧！

趙雲帶了五百軍士，保護劉備來到南徐。
劉
劉

趙雲拆開第一個錦囊。
唔……果眞是妙計！

你們披紅掛彩去採辦各種物品，大肆宣揚主公到此招親……

你們買這麼多東西幹甚麼？
我們操辦喜事……
我們主公和你們郡主結親……

很快，孫劉聯姻的事傳遍南徐城。
酒

皇叔和郡主結親，是誰許婚？是誰作媒？
吳侯親口許婚，呂範、孫乾作媒。

劉備又依計備了重禮，去拜會孫策和周瑜的丈人喬國老。

國太，恭喜了！
喜從何來？

一定！一定！
我人生地疏，請國老多多關照。
郡主許配劉皇叔的大喜事呀！劉皇叔已來南徐招親，國太還要瞞我嗎？

吳國太一面派人去城中探聽，一面派人去叫孫權。

哪有這回事？我怎麼不知道？

孫權來後，國太又哭又鬧。
你眼中還有我這個母親？你把妹妹嫁給劉備，竟然不同我商量！

國太，探聽人說果真有此事，劉備已在館驛安歇。

滿城百姓，哪個不知？你還敢瞞我！
哪裏有這種事？

哼！
這個都督太沒出息了，沒本事討還荊州，竟拿我女兒作「美人計」！

這不是眞的！是周瑜的計策，借這個名義，把劉備騙來，逼他歸還荊州……

好！明天約劉備在甘露寺相親，如我中意，就招他爲婿；如不中意，隨你們處置！
好吧！我聽母親的！

是呀！殺了劉備，郡主豈不成了寡婦？倒不如弄假成眞，免得惹人耻笑。

賈華，你率三百刀斧手埋伏在甘露寺廊下待命。
是！

孫權召來呂範。
國太明天在甘露寺相親，你去安排一下。

好！我看中了！設宴款待！

第二天，吳國太相看劉備

這話怎麼說？
如要殺我，請國太動手吧！

主公，走廊兩旁埋伏着刀斧手。

玄德已是我女婿，爲甚麼還埋伏刀斧手？領兵的是誰？
我不知道！

廊下暗伏刀斧手，難道不是爲了殺我嗎？

領兵的是賈華。
把賈華斬了！

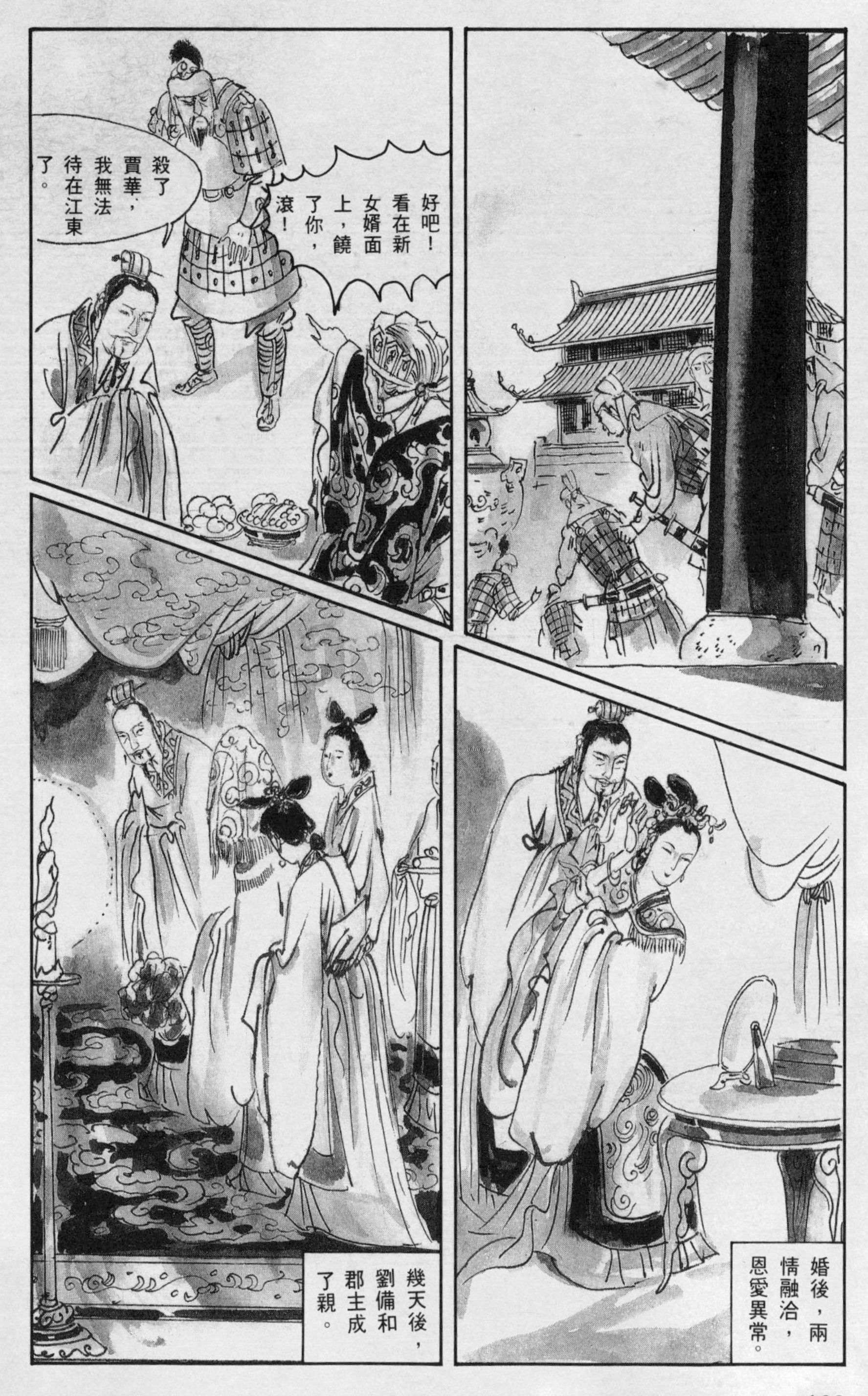
殺了賈華，我無法待在江東了。
好吧！看在新女婿面上，饒了你，滾！
幾天後，劉備和郡主成了親。
婚後，兩情融洽，恩愛異常。

六

二氣周瑜

雄心雖大但氣度太小

周瑜雄心勃勃，也很有才能，但他氣度太小，不能自省，以至聰明反被聰明誤。

造就孔明的三氣之局

周瑜果然一如曹操所料，再取荊州，但他不是強取，而是巧奪，說到底，就是要再用計了。在此之前，孔明的緩兵之計是，待到取得西川之後，再把荊州還給孫權；周瑜的計策是，表面上，代劉備出兵西川，以西川交換劉備的荊州，當軍隊過荊州的時候，向劉備借軍糧，一旦劉備出城勞軍，周瑜乘機攻城，那時，荊州便是他的囊中之物了。只是，這個計策也輕易被孔明識破，從而將計就計，使周瑜孤軍深入，然後四面圍擊，氣得周瑜箭瘡再一次迸裂，大敗而逃。

這裏，我們與其說孔明高妙，毋寧說周瑜拙劣了。周瑜的拙劣，正是在於他以為自己高妙。他在這「高妙」中難以自拔，才造就了孔明的三氣之局。所以說，機會的把握，許多時候，看的不是機會到底來到了沒有，而是自己能不能把握。把握機會，也是一種本事；正確地看待自己，是本事之一。周瑜就是一直把自己看得太高，到了最後的一次，他中了孔明的圈套，也全是由於自以為得計，使孔明也上了他的當，因而沾沾自喜不已，似乎，在他的心目中，能夠使孔明中了他的計

謀，就是最大的成就了。這種視野，與孔明和曹操的相比起來，實在是差得太遠了。

一時瑜亮和瑜亮之差

周瑜再一次箭瘡迸發，大敗而逃，回到船上，立即收到孔明的信。孔明在這封信裏跟他說的是天下之大勢，指出他遠征西川，後防空虛，覬覦[1]在側的曹操又豈會坐失這個大好良機?孔明的話，說得周瑜無辭以對。

周瑜本來就無意遠征西川，他只圖荆州，眼下，荆州固不可得，而與孔明一比，兩者的考慮，周瑜便是明顯地差了一大截。正是看到了這一點，頓使周瑜萬念俱灰，鬥志盡失，再加上身體受到重創，使他走上了生命的末途。他在連叫數聲而亡之前，還仰天長嘆道：「既生瑜，何生亮？」表面上看，他並不認爲自己是在孔明之下的，其實在他的內心深處，應該知道了實際上是甚麼一回事的。仰天長嘆，是一種無奈罷了！

我們也不能說周瑜是沒有才能的，只是他的才能無法與孔明和曹操的相比，後者所擁有的，可以說是經國之才。周瑜的失敗，在於所做的事與自己的才能脫節而不自知，而他也不願意承認自己的才能不足，小材大用和大材小用，都是一種悲哀。小材有小材的用途，小材放在恰當的地方，發揮得好，也未嘗不是快事呢！

①覬覦：非份希冀。

孫權寫信把情況告訴周瑜。
唉！怎麼會這樣？

招親弄假成眞。

周瑜讓我用安樂生活迷住劉備，消磨他的壯志，你以爲如何？
孫權接信後，找張昭商量。

嗯！我再設一計，把劉備困在東吳！

好計！

劉備沈溺於享樂之中。

孫權依計而行。

趙雲幾次去見劉備，劉備避而不見。
駙馬爺不在！

軍師吩咐我到年底拆開第二個錦囊……

軍師料事如神……

我有急事要見主公，請通報！
好！你等着！

軍師派人來報，曹操率五十萬大軍，殺奔荊州。請主公立即回去！

你先退下，我自有辦法！

這事要和夫人商量。
若告訴夫人，怕走不成了！連夜就走吧！

劉備回房，滿臉愁容。
你怎麼啦？

我……唉！

剛才趙子龍的話，我都聽到了！你想回荊州去，是嗎？

唉！荊州危急，我想回去，可又捨不得夫人！

我是你妻子，理應跟你同回荊州。

我們新年拜賀時，推說到江邊去祭祖，不告而別，怎麼樣？
那太好了！
只怕國太和吳侯不會同意。
新年那天，你先領兵出城等候……
劉備悄悄把計策告訴趙雲。
新年到了，劉備和孫夫人來向國太拜年，國太十分高興。
我們今天想去江邊祭祖，不知母親是否同意？
這是孝道，你們去吧！
劉備、孫夫人出城和趙雲相會，離了南徐，直向江邊而去。

孫權在酒
宴上喝得
酊酩大醉。

第二天，孫權
得知劉備逃走，
急忙派陳武、
潘璋率兵去追。

主公，
陳武、潘
璋見了郡
主，不敢
下手！怎
能抓到
劉備？

蔣欽、
周泰、
你倆拿
我的劍
去，殺了
劉備和我
妹妹。
是！

主公先走，我來擋住追兵！
子龍，怎麼辦？

報！吳侯派陳武、潘璋追來。
這時，劉備一行已來到柴桑地界。

報！周瑜派徐盛、丁奉在前面阻攔。

吳兵前堵後追，這回糟了！

劉備快下馬受縛，我們奉周都督將令，等候多時了！

如實相告，請夫人解難。

主公不要慌！軍師吩咐在危急關頭拆開第三個錦囊，自有妙計脫險！

現在吳侯派人在後追趕，周瑜派兵在前堵截，不是夫人出面，不能解脫此禍。

劉備來到車前，把孫權、周瑜用「美人計」的事告訴夫人。

你放心！這事，我來解決！

你們倆想造反嗎？

周瑜是個渾蛋！劉備是我丈夫，我已對母親和哥哥說明回荆州去，你們有幾個腦袋，竟敢攔截？快滾！

不敢！我倆奉周都督將令，在此專等劉備！

徐盛、丁奉下令讓道放行！
是！
是！

我們一起追！

你們不該放走他們，我們奉吳侯之命前來追捕劉備！

報！東吳四將追來！
主公先走！我和子龍斷後。

劉備帶了三百士兵，直奔江岸而去。

奉主公之命，請劉備和夫人回去！

你們想幹甚麼？

我奉母親之命回荊州去，就是我哥哥來也得講理，你們倚仗兵威，想來殺害我嗎？

不敢！
不敢！
子龍，走！
趙雲保護夫人，直向江邊而去！

蔣欽讓徐盛、丁奉去報告周瑜，自和周泰、潘璋、陳威沿岸猛追。
劉備呢？吳侯有劍在此，先殺郡主，後殺劉備！
這裏已近本界，軍師必有調度。
人困馬乏，追兵又至，死路一條了！
報！蔣欽等帶着吳侯之劍追來！
沒船渡江，如吳兵再追來，怎麼辦？
這時，劉備一行已到江岸。

劉備、孫夫人上了船，趙雲率兵士也上了船。

主公，前面有不少商船，快上船去！

你們回去告訴周郎，不要再使美人計。

恭喜主公，諸葛亮等候多時了！
哈哈！

船正行駛，周瑜率黃蓋、韓當等乘船追來。

靠上北岸，棄舟上岸！
快追！

靠岸！上岸追！

周郎，你往哪裏逃？

啊！關羽……

周瑜等狼狽地逃回船上。

半路上，黃忠、魏延又各率伏兵殺出。

周郎妙計安天下，陪了夫人又折兵！

周瑜箭瘡迸裂，暈倒在船上。

氣死我了！

七

三氣周瑜

不尋常的英雄淚

《三國演義》的英雄豪傑不少，在我們的感覺裏，英雄豪傑都是有淚不輕彈①的，否則也就攀不上英雄豪傑這個高台了。

劉備以哭聲留住荊州

偏偏《三國演義》的英雄豪傑會哭的卻不算少。劉備就是常常哭的一個。在「三氣周瑜」這個過程裏，劉備便哭了不止一次，他知道劉琦病亡，便「痛哭不已」；他前往迎娶孫夫人，因爲身陷險境，於是向吳國太泣告；後來他與孫夫人一起回國，面對周瑜派出的追兵，看了孔明的錦囊，便又向孫夫人泣告；周瑜再遣魯肅向劉備討回荊州，劉備向孔明問計，孔明對他說：「若肅提起荊州之事，主公便放聲大哭。哭到悲切之處，亮自出來解勸。」孔明也不多說，總之，劉備要做的，就是大哭，哭聲愈是悲切便愈好。也許，孔明已經知道，劉備是能哭的。

劉備果然能哭，魯肅見着他，才說了一句，劉備便來個「掩面大哭」，魯肅驚問劉備爲何如此，劉備更是以「哭聲不絕」來回答。這個時候，孔明出來了，他向魯肅解釋了劉備的處境：取西川是難，還荊州是難，不還荊州也是難！孔明這一說，「觸動玄德衷腸，眞個捶胸頓足，放聲大哭」。

另一位是孫權，他聽到了周瑜的死訊，也「放聲大哭」。

周瑜遭三氣就是不哭

與此同時，孔明在荊州，夜觀天文的時候，發現將星墜地，便自我發笑道：「周瑜死矣。」接着，他前往致祭，「周瑜部將皆欲殺孔明，因見趙雲帶劍相隨，不敢下手。孔明教設祭物於靈前，親自奠酒，跪於地下」，親讀祭文，抒發「從此天下，更無知音」。「孔明祭畢，伏地大哭，淚如泉湧，哀慟不已」。

我們當然不能忘記周瑜，如果說，劉備應該哭，孫權應該哭，孔明也應該哭，那末，至少還有一個人是應該哭的，這個人就是周瑜了。他一而再，再而三地被孔明氣得舊患復發，可是，他竟然沒有哭。

周瑜是把所有的氣都承受了，也因為這樣，他的身體受到了極大的傷害，到了最後，憋着的一口氣鬆垮了下來，便永遠地倒了下去。

哭出了活生生的英雄

我們必須承認，每一個人都有脆弱的時候，倘若從這個角度看，脆弱是並不值得引以為羞恥的。劉備等長期處於你爭我奪的狀態，長期承受巨大的壓力，精神上的薄弱之處可能較諸平常人更甚的，倘若光是從這一點來衡量，那末，他們就絕對稱不上是英雄了。即使他們比一般人更容易哭，也是可以理解的了。「英雄見慣亦平常」，然而，恐怕也只有這樣的英雄，才能予人眞實的感覺；這樣的英雄，才是活生生的。

劉備長期地付出了那末多，可是，要保住一個剛到手的荊州，還是那樣的不容易，他是因此而悲從中來。孔明要劉備在魯肅的面前悲，那是由於對忠厚的魯肅而言，劉備的這種悲是他不可能承受的。荊州他固然是取不了，而且還要幫劉備在周瑜的面前當說客。一哭解千愁，一方面是紓解了劉備的壓力，另方面是使魯肅無功而退②，這末算起來，便確是哭得很有價值的。

孔明哭周瑜而得魯肅

孔明的哭周瑜，又該怎樣理解呢？

孔明的哭，起碼有兩個原因。第一，周瑜在智謀上雖然是比不上孔明，但他好歹都是一位英雄，死的時候，才不過是三十六歲，完全可以說是英年早逝，使孔明惋惜不已；第二，孔明的這一哭，由於有上面的一個原因，也可以說是哭得情眞意切的，這就使一旁的周瑜部屬諸將對周瑜與孔明不和之說有所懷疑了，忠厚的魯

肅更這樣想：「孔明自是多情③，乃公瑾量窄④，自取死耳。」魯肅的這個想法對孔明是十分重要的，因爲正如孔明在前往致祭之前所料的一樣，孫權以魯肅代替周瑜都督之位，總統兵馬。魯肅有了這末一個想法，加上周瑜的舊部對孔明的改觀，那末，孔明在「氣死」了周瑜之後，便不會馬上給自己招來麻煩了。這樣看來，孔明的這一哭，也是非哭不可的了！

苦苦活在世俗目光裏

「英雄有淚不輕彈」，正因爲有淚不輕彈，一旦有淚，便都會有着一定的份量，裏面到底包含着一些甚麼東西，還不一定都能夠說得淸。如果我們以爲劉備的哭不可理解，以爲孔明的哭不可理解……恐怕那只是由於我們自己膚淺而已。

頗有一些人說，眼淚，是女人的武器；就說是武器罷，也並非女人的專利品。一般的男人受世俗的目光所囿⑤，所以努力地不哭，只有突破了這種局限，才能夠在該哭的時候哭將出來。從這個角度說來，男人而能哭，也是不那末簡單的了。

世俗的目光往往就是這樣的厲害，使許許多多的人都擺脫不得；有不少人，更是一生都苦苦地活在世俗的目光裏，苦苦地經營那原本就是極爲有限的歲月。能夠

②無功而退：一無所獲地離開。
③多情：感情豐富。
④量窄：器量狹窄。
⑤囿：局限，限制。

活得灑脫的，試問有幾人？

倘若局限在世俗的目光裏，那末，我們的智慧，也肯定地給局限了。

孫權準備發兵攻打荊州。

孫、劉開戰，如曹操乘虛而入，那太危險了。

這樣一來，荊州不眞成劉備的了嗎？
不！我們可用反間計，使曹劉相攻，我們再伺機奪取荊州。
不如派人去許都，請曹操封劉備爲荊州牧，使曹操不敢輕舉妄動。
孫權採納了顧雍的計策，派華歆前往許都。

孫權這是別有用心！
我知道。他這是要遏止我再度南下。

華歆來到許都。

丞相可表奏周瑜爲南郡太守，讓孫、劉互相併吞，爭奪荊州。
一石二鳥！不錯！

孫權派魯肅前往荊州。
魯

現在我是南郡太守了，一定要討還荊州！
報！東吳魯肅求見。
他是來討荊州的。他一提荊州，主公就哭……

吳侯派我來，請皇叔看親戚情面，歸還荊州。

劉備掩面大哭。
皇叔有話好說，為甚麼這樣傷心？

皇叔別哭了，有事好商量。
……

主公本想去取西川，可劉璋是他的同宗兄弟，於心不忍。可不打西川，還了荊州又無處安身，所以痛哭。

魯肅怕孫權責怪，先到柴桑來見周瑜。
你又中諸葛亮的計了！

好吧！
請子敬稟告吳侯，請再寬容些日子。

那怎麼辦？
你再去見劉備，說由東吳代他去打西川，用西川換回荊州。

西川那麼遠，要打下很不容易。
這是「假途滅虢」之計，借道荊州，殺了劉備，奪取荊州。

行！那太好了！大軍經過，一定犒勞！

魯肅回到柴桑。
哈哈！這次諸葛亮中我計了。

子敬，你去向吳侯稟報，請派程普率兵接應。

周瑜率領五萬大軍，
直向荊州而來。

船到夏口。
報！劉備派糜竺來見都督。

我主公說，勞軍的錢糧都準備好了，他在荊州城門外迎候都督！

好！你先回去吧！

大軍將到荊州，
卻沒有人前來迎接。
？

奇怪！
這是怎麼回事？
莫非……

報！
荊州城上
插着兩面白
旗，一個人
也沒有。

城上人影杳然。
開門！
東吳周
都督來
了！

周瑜上了岸，帶着
甘寧等衆將，引三
千精兵，直撲荊州。

我替你們去取西川，難道你不知道嗎？
周瑜，你來幹甚麼？
軍師早已識破你的詭計，你若眞的去取西川，我主公便隱跡山林……
突然一聲梆子響，城上刀槍密佈。
不好！他們早有準備，快退兵。

氣死
我了！
報！
關羽、張飛、
黃忠、魏延從
四面殺來，說
要活捉都督。
周瑜箭瘡迸裂，
從馬上栽下。
衆將慌忙把
周瑜救回船上。

你說我取不下西川，我偏要去取！

周瑜醒來。
報！劉備和諸葛亮在前面山峯上喝酒取樂！

船到巴丘，被劉封、關平截住水路，不能前進。

周瑜下令向西川進發。
殺過去，再上西川！

諸葛亮派人送一封信給都督。
都督勞師遠征，必難收全功，倘曹操乘虛來攻，東吳危矣，望三思
哇—
周瑜寫下遺書，推薦魯肅接任都督之職。

都督，你醒醒！
說完，他昏了過去。
我不行了！你們要好好輔佐吳侯，爲國効力，共成大業！
周瑜把衆將召到病榻前。
周瑜緩緩醒來。
唉——既生瑜，何生亮？
唉……
周瑜大叫數聲，氣絕身亡，年僅三十六歲。

孫權接到周瑜去世的噩耗，放聲大哭。
諸葛亮得到周瑜死訊，親赴東吳，來到周瑜靈前哭祭。

他遵照周瑜的遺書，任命魯肅爲都督，統領兵馬。

孔明很重情義，公瑾氣量太小，才有今日。

諸葛亮情眞意切，悲慟萬分，感動得在場的人落淚。

八 龐統治縣

貌醜是一道難題

與孔明齊名的龐統在魯肅的引薦下，得見孫權，但不獲任用；後來，他見劉備，亦只獲委任一個小縣的縣令。孫權和劉備都知道龐統的大名，心中都有仰慕之意，可是，見面不如聞名；而，對龐統來說，情況也是相若的。

多見人不等於懂觀人

不約而同地，孫權和劉備都不喜歡龐統的長相，此外，孫權喜歡周瑜，但龐統對周瑜卻有輕視之意；龐統見着劉備也是只揖不拜①，都增加了孫劉二人對龐統的抗拒感。

龐統「濃眉掀鼻，黑面短髯，形容古怪」，長相也確是不那末討人喜歡的。從長相得知一個人的其餘，是一門學問，這觀人之學，其中一個重要的基礎，是多見人，這便漸漸知道，長相代表了甚麼。孫權和劉備當然都見過了不少人，在觀察長相這事情上，他們都是有一定的經驗的，可是，偏偏他們只見了龐統一面，便因爲龐統的長相而冷落龐統，難怪龐統要嘆氣了。

眞正有本事便不必怕

龐統在見孫權之前，是充滿了信心的；即使他受到

了孫權的冷落，在他去見劉備的時候，信心也是沒有動搖的。我們說，便是到了後來，龐統只獲劉備委任爲一小縣的縣令，他終日只喝酒而不視事，也並非說明了，他的信心盡失。一個人的信心，不是從人家的目光那兒得來的。當然，有的人是這樣的，因爲人家的輕視目光，於是連自己也看不起自己了——這也不是說，別人輕視的目光是多末的可怕，眞正可怕的，是自己沒有眞正的本事。好像龐統那樣，上任百餘日沒有治事，一旦做起來，卻是不到半日便將百餘日積下來的大小案件都一一了斷：「統手中批判，口中發落，耳內聽詞，曲直分明，並無分毫差錯。民皆叩首拜伏。」顯而易見的是，他對自己是信心十足的。

龐統在見劉備之前，手裏已有了魯肅和孔明的推薦書，但他一直沒有拿出來。可以說，他是對孫權失去信心在先，對劉備失去信心於後。

理性的眼睛理性視物

有一句老話叫做「人不可以貌相」，光是以貌取人，是會有很大的偏差的。世人的相貌，千差萬別，如果簡單地把相貌和一些判斷聯繫起來，失誤便會隨之而至，可是，在我們的身上，卻常常會出現這樣的失誤。

張飛在見過了龐統的本事之後，立即稱龐統爲大

①只揖不拜：只是站着作揖而不下跪叩頭，表示對所晋見的人不夠敬重。

賢。張飛所說的，不過是事實，他並沒有先見之明。然而，要承認事實，原來也是很不容易的呢！

讓我們都慢慢地培養出一對理性的眼睛，理性地視物，這就不會錯失許許多多寶貝了！

諸葛亮辭別魯肅，回到江邊。
你連用三計，氣死了周瑜，又來吊喪，欺負東吳人嗎？

魯子敬正要向吳侯舉薦我。
不知鳳雛先生在江東是否得志？

原來是鳳雛先生，久違了！請到我船上去小坐。

我料定孫權不會重用先生，請留着這封信，若不如意，請到荊州共同輔佐玄德。
好吧！後會有期。

不久，魯肅帶着龐統來見孫權。

這人實在太醜。

先生平生所學，以甚麼爲主？
隨機應變，不拘一格。

你的才學，跟周瑜相比如何？
我所學的，與周瑜大不相同。

你先退下，待需要時，再來相請。

吳侯不肯用你，我寫封推薦信給劉備，你去投奔他吧！
唉！

我如拿了孔明、子敬的信去拜見劉備，太沒出息了。

聽說皇叔招納賢士，特來相投。

請先生暫時去當耒陽縣令吧！
劉備見龐統相貌醜陋，也不喜歡他。

孔明不在，我先去上任了再說。

龐統到了耒陽縣，整天飲酒作樂，不辦公事。
張飛、孫乾，你倆前去視察，如果真荒廢了公事，抓來查辦。
是！

龐縣令他……
一名屬吏向劉備報告。
兩人來到耒陽縣，其他官員都來迎接，只有龐統未來。

你們縣令呢？
龐縣令喝醉了酒，還在睡覺。

我去把他抓來！
不要胡來，龐統很有才能，先去縣衙找他，看看情況再說。

去把龐縣令叫來。

龐統衣冠不正，帶醉出來相見。
我兄長派你作縣令，你怎敢荒廢公事？

一個小縣城，有甚麼難辦的公事？請稍坐，看我發落。

不到半天，龐統把上任一百多天來的積案全部斷完，毫無差錯。
你看，還有甚麼所荒廢的事嗎？曹操、孫權都不在我眼裏，何況這樣一個小縣。
這是魯子敬的推薦信，請帶去。
你當初見我兄長時，爲甚麼不拿出來？
失敬了！先生大才，我一定向兄長推薦。

龐統才能出衆，這是魯肅的推薦信。

我不想靠別人得到重用！

龐軍師近日好嗎？
我派他去做耒陽縣令了。

主公沒看到我的推薦信嗎？
他沒拿出來呀！

劉備馬上把龐統請回荊州，拜他爲副軍師。

九

馬超興兵復仇

將材帥材涇渭分明[1]

曹操素來視西涼的馬騰爲心腹之患，便用計誘馬騰到許昌，把馬騰和馬騰的二子三子馬休和馬鐵等都殺了。

可是，馬騰的長子馬超的興兵復仇，卻是孔明一力促成的。

諸葛亮「圍魏救趙」[2]之策

當時，曹操知道劉備欲取西川，便要揮軍進攻孫權，因爲他估計孫權即使向劉備求救，劉備也意在西川，不會全力支持孫權，這末一來，新近才喪了周瑜的孫權便不難攻破；孫權一破，再攻劉備，也便容易得多了。

孔明的做法，是去信鼓勵馬超興兵伐曹，以報父仇，如果馬超那樣做，劉備必然與之呼應。孔明認爲，只要馬超眞的興兵，曹操便無暇進攻孫權了。那末一來，劉備也便解除了威脅。

馬超本來就有了復仇之意，孔明只消那末輕輕的撥動一下，他便全速地行動起來了！

馬超一鼓作氣[3]敗曹操

馬超有大將之材，加上武藝高强，率領驍勇的西涼兵，一而再地把曹操殺得落荒而逃；其中一次，馬超把曹操殺得脫去紅袍，自斷長鬚，又扯下旗角包頸（全因馬超大叫短髯者是曹操，要部屬全力捉拿之），這才堪堪避得過。

又有一次，曹操被馬超的兵馬追得極急，全憑一個縣令把寨內的牛馬都一概驅出，西涼兵看見了，都只顧追牛馬，無心追曹操，曹操才得以逃出生天。在西涼兵眼中，牛馬較諸曹操是更有價值的，不過，從這一點看來，西涼兵除了驍勇之外，並不見得是訓練有素的，靠着這末一支軍隊，要徹底把曹操打敗，也是很不容易的。問題是，「盲拳打死老師傅」④，何況還有一個頗具軍事才能的馬超，所以才能把曹操一而再地殺得大敗。

輕輕一撥得連場好戲

「一鼓作氣，再而衰，三而竭」⑤這句話，道出了一種規律，馬超這次伐曹的過程，也使這種規律得以再一次應驗，到了後來，形勢急轉直下，馬超竟然要向曹操提出割地請和。事情發展到了這裏，顯然是變得對馬超不利了。

爲甚麼會出現這樣的結果？我們只要細想，便會曉得，這是不難理解的。馬騰和馬休、馬鐵之死，使馬超亂了陣腳，繼而倉猝出兵，憑着一鼓作氣，殺得曹操好

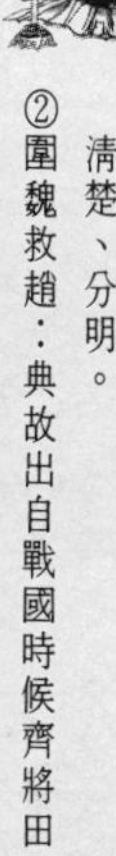

①涇渭分明：涇水與渭水是陝西境內的兩條河，一條清，一條濁，涇水流入渭水時，清濁不混。形容界線清楚、分明。

②圍魏救趙：典故出自戰國時候齊將田忌進攻魏都大梁以救援趙國之圍的故事。後人以「圍魏救趙」指襲擊敵人後方以迫使進攻之敵後撤的戰術。

③一鼓作氣：典故出自《左傳》：「夫戰，勇氣也。一鼓作氣，再而衰，三而竭。」意思是，打仗靠勇氣，擂

不狼狽，只是不能穩住戰果，也不知道應該怎樣去解決主要問題，那便浪費了大好形勢。

也許，這裏叫我們看到了將材和帥材的分野：將材解決的，是一場仗兩場仗的事，終究是局部的東西，而帥材所解決的，卻是大局的事。

回頭再看看孔明，就是那末輕輕的一撥，便帶出了連場「好戲」，才眞的是不簡單。

第一通鼓的時候，勇氣最旺，第二通鼓，勇氣就差多了，第三通鼓，勇氣就完了。這裏指馬超在發動進攻時，趁着士氣最旺盛的時候一下子把曹操打敗。

④盲拳打死老師傅：廣東俗語，不懂拳術的人打死精通拳術的老師傅，比喻沒有本事的人有時靠瞎打瞎碰也能戰勝有本事的人。

⑤一鼓作氣，再而衰，三而竭：參見注③。

不久，曹操用計誘殺了西涼征西將軍馬騰，點起三十萬大軍，再征東吳。
曹

魯肅派人向劉備求援。

你告訴子敬，讓他高枕而臥，曹操兵到，皇叔自有退兵之策。

軍師有甚麼妙計？

主公只要寫封信給馬超，讓他興兵入關，爲父報仇。曹兵就無暇南侵了！
好計！

報！西涼太守韓遂派人請將軍前去。

這時，馬超正欲興兵報仇，接到劉備信後，立刻整頓軍馬，準備出兵。

擒馬超赴許都，封為西涼侯。

這是曹操給我的信……

我和你父乃結拜兄弟，怎能害你？你如興兵報仇，我幫你！
那就請叔父把我綁起來吧！

他們很快就攻下了長安。
第二天，馬超、韓遂率軍向長安進發。
丞相，馬超、韓遂起兵奪了長安，潼關告急。
長安太守鍾繇退守潼關，飛報曹操。
曹操大驚，下令暫停南征。
曹洪、徐晃，你倆率兵一萬去守潼關，十天內失了關隘，斬！

曹洪、徐晃來到潼關，遵照曹操將令，堅守不戰。

十天後我率大軍前來接應！
那十天外呢？

馬超天天帶兵前來挑戰，大聲辱罵。
曹洪，你這個膽小鬼……

將軍不要輕易出戰，待丞相一到，自有主張。
曹洪幾次要出關迎戰，都被徐晃勸住。

馬超故意氣曹洪。

第九天，曹洪瞞着徐晃，開關殺出。

徐晃領兵追出。
曹將軍，快回關！

馬超、馬岱、龐德三面圍殺，曹洪、徐晃大敗而逃。
馬超佔領了潼關。

曹洪兵敗，來見曹操。
給你十天期限，爲甚麼九天就失了潼關？
我中了馬超之計。

來人，把曹洪斬了！

徐晃，你爲甚麼不勸阻他？
小將幾次勸阻，後來他瞞着我出戰，才有此敗。

衆將再三求情，曹操才饒了曹洪。

曹操率軍來到關前。
曹操，殺父之仇，不共戴天！我要殺你報仇！

大將于禁出馬迎戰，被馬超殺敗。

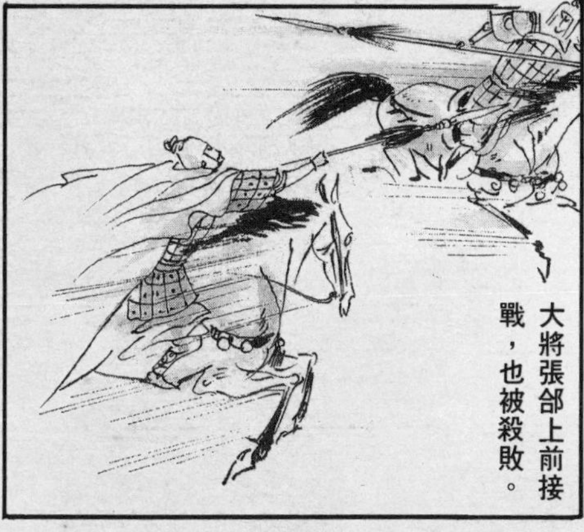
大將張郃上前接戰，也被殺敗。

馬超連挫曹軍十幾員大將。

衝啊！活捉曹操！
西涼兵十分驍勇，曹軍抵敵不住，大敗而逃！
大將李通出馬，被馬超一槍刺死。
衝啊——殺啊——！
穿紅袍的是曹操，抓住他！

抓曹操！
抓曹操！
短髯鬚的是曹操，
快抓住他！
長髯鬚的是曹操，抓住他！
唏！馬超！
曹操，你往哪裏逃？
曹操扯下旗角，圍頸而逃。
曹操轉身逃進樹林。

馬超
勿傷
吾主！

曹操繞樹
而逃。
看槍！

夏侯淵又
帶着大隊
人馬前來
接應。
馬超見對方人多，
只得收兵回關。

一連幾天，馬超率兵來寨前罵戰，曹操堅守不戰。
曹洪，你到蒲阪津安排船隻，準備大軍渡河。
曹操逃回大寨，重賞曹洪。
馬超後防空虛，可分兵渡河埋伏，截他後路！
好！
你領兵四千，先往河西埋伏。
是！

報！曹操準備船隻，想北渡渭河。
曹操想截我後路，我領兵去擋住他！
不必擔心。等曹兵半渡，從南岸出擊，一定大獲全勝！

這天，曹操率軍渡河，剛渡過一半。
報！馬超殺來。

大家不要慌亂——

馬超殺來了，快逃命呀！

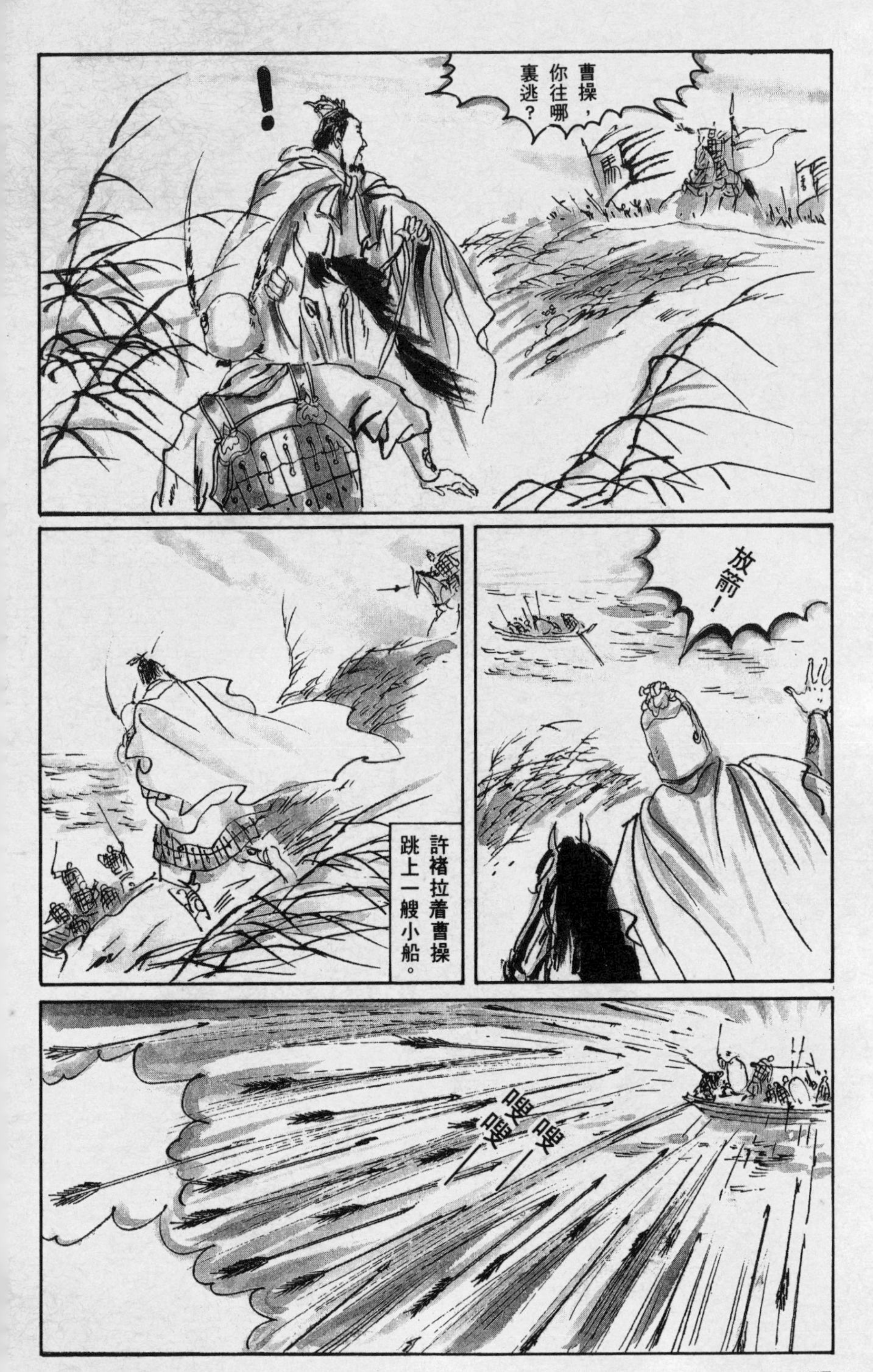
曹操，你往哪裏逃？
!
許褚拉着曹操跳上一艘小船。
放箭！
嗖嗖嗖

抓曹操，別讓他跑了！
馬

不好！丞相要給西涼兵追上，便沒命了，我得設法救他。

把寨中所有牛、馬都放出去！

好險！

丞相受驚了！
沒甚麼！南岸是誰放出牛馬誘敵？
曹操把丁斐召來，升他爲典軍校尉。

是渭南縣令丁斐！

馬超天天率兵騷擾，不讓曹操立起營寨。

你可有甚麼好辦法？
可取泥土築城堅守。
唉！都是沙土，沒法築。

是呀！先生有甚麼好辦法嗎？

曹操正十分憂慮，隱士婁子伯來見曹操。
丞相是因築不起土城煩惱嗎？

今日天氣暴冷，只要一面壘土，一面潑水，一夜便能把城築起。

難道是神仙幫他築的嗎？
天亮，馬超接到報告。

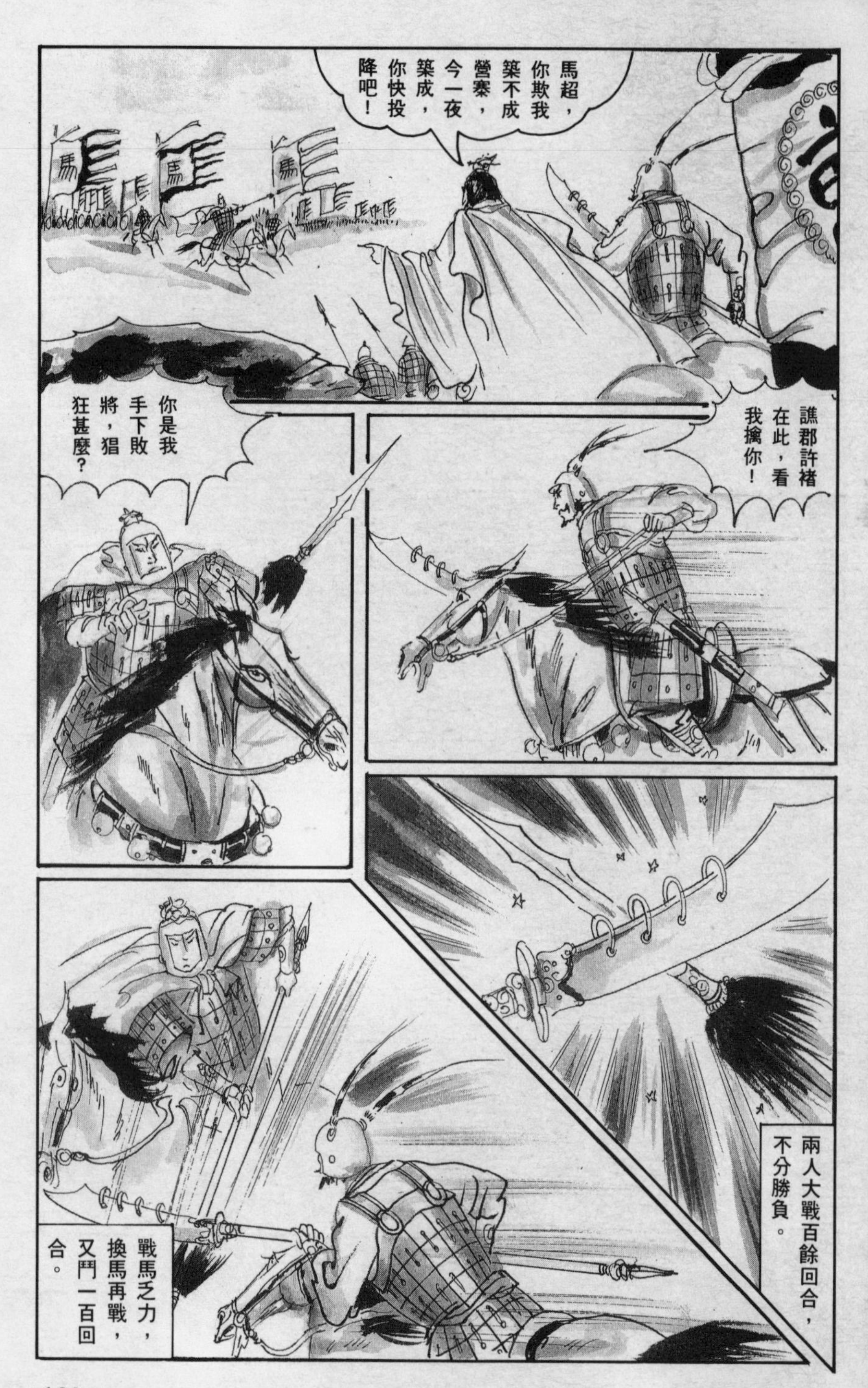
馬超，你欺我築不成營寨，今一夜築成，你快投降吧！
譙郡許褚在此，看我擒你！
你是我手下敗將，猖狂甚麼？
兩人大戰百餘回合，不分勝負。
戰馬乏力，換馬再戰，又鬥一百回合。

曹操怕許褚有失，令夏侯淵、曹洪上前助戰。

龐德、馬岱率騎兵衝出。
馬
龐

曹軍大敗。曹操退回土城。
曹
馬
龐

十

反間計

邪由心生，外邪得入

在一般的理解上，反間，就是離間，使敵人分崩離析，自己可以一舉擊破，甚至是不戰而勝。反間，有時是利用敵方派來的間諜做的，有時則不是，但是，目的卻是一樣的。

花過心思認眞地鋪排

馬超和他的義叔韓遂所率領的西涼兵，憑着一鼓作氣①，打得曹操一度措手不及，十分狼狽；後來，曹操利用反間計，使馬超與韓遂之間不和，趁勢一個反擊，便使馬超落荒而逃。

本來，反間計也不是無往而不利②的，我們要看的其中一點，是反間計的本身弄得怎麼樣。曹操這一次用在馬超和韓遂身上的一條反間計，便很花了一些心思，認眞地做過鋪排，先是在戰場上以文裝和韓遂來一次細說從頭，只談往日在京師共事的情景，嘻嘻哈哈一番，馬超後來知道了，便起了疑心。然後，曹操又寫信給韓遂，故意在一些看來是重要之處塗塗抹抹，馬超讀到了，以爲是韓遂那樣做的，要隱瞞他甚麼。馬超和韓遂之間的一道鴻溝，便是這樣形成的。

①一鼓作氣：典故出自《左傳》。形容打仗時第一次擊鼓士氣最爲振奮。

②無往而不利：所到之處，無不順利。形容處處順利，處處行得通。

③杯弓蛇影：典故出自《晉書・樂廣傳》，樂廣有個客人把映在酒杯中的弓影誤以為蛇而嚇出病來。比喻疑神疑鬼，妄自驚擾。

利害之交易暴露弱點

身處戰場上，人也特別敏感，杯弓蛇影③，有甚麼風吹草動，都會看作是大事一樁。要知道，這是人情之常，除非不是凡人；可是，能超脫的，試問世上有幾人？

其實，人生的「戰場」處處，也就是說，我們常常會處於利害之交，那種狀態，是最不穩定的，最容易作出錯誤的抉擇。《三國演義》裏，大小戰事連場，人性裏薄弱的地方，人的劣根性，暴露無遺，聯繫起上面所說的「人生戰場」，便大有值得我們警醒之處，光是這一點，《三國演義》也是很值得我們一讀的。

馬超和韓遂有義叔侄的關係，在他們出兵之初，曹操也曾寫信給韓遂，信上說：「若將馬超擒赴許都，即封汝爲西涼侯。」韓遂把這信給馬超看了，並清楚的表示會站在馬超的一邊。在戰場上，馬超和韓遂並肩，合作是愉快的，也取得了連場的勝利。

問題是，馬超和韓遂的勝利打上了頓號，割地求和，曹操把握這個機會，施以反間計，馬超便懷疑韓遂是否在不那末順利的時候接受了曹操的利誘，生了異心。到了這末一個時候，無論韓遂怎樣解釋，作用都是不太大的了。

西涼兵來得愈多愈好

曹操的反間計得以成功，不全是由於那反間計本身的厲害。戰事結束之後，人家問，他爲甚麼在處於逆境的時候，西涼兵來得多，他卻愈高興呢？曹操說的「來聚一處，其衆雖多，人心不一，易於離間，一舉可滅」，也是很能夠點出要害的。

人情之常，我們都不能避免，正因爲這樣，我們便要時加警惕，這主要不是警惕別人，而是警惕自己。邪由心生，自己多加磨煉，變得相對地强大起來，外邪也便不那末容易入侵了；也只有這樣，才容易和人家合作得好，產生預期的效果。

你快去通知徐晃，讓他儘快從背後發動攻擊！
是！

馬超雖勇，但勇而無謀，我可以用計破他。

我軍腹背受敵，歸路被斷，不如暫時和曹操講和。
馬超和韓遂等一起商議。

丞相眞同意講和嗎？
你說呢？
你回去告訴韓將軍，明天我派人給他答覆。
韓遂派楊秋來見曹操。
好計！
兵不厭詐，丞相可假裝同意，然後用反間計，使韓、馬相疑，一鼓可破。
第二天，曹操派人送信給韓遂，答應講和退兵。

哈哈！我的計策成功了。今天誰向我這邊。
韓遂。
曹操奸詐，你我分兵防備曹操和徐晃，隔日調換。
將軍……今年幾歲了？
虛度四十了……

曹操故意和韓遂講了許多閒話，才大笑作別。
韓

怎麼會不談軍務？
沒說甚麼，只說了些從前京中的舊事。
曹操不說，我怎麼會說呢？
馬超知道後來見韓遂，打聽他們說些甚麼。
馬超心中十分疑慮，一聲不響地退了出去。

知道。但這只能使馬、韓互相猜疑，不足以使他們反目成仇，自相仇殺。

你知道我今天的用意嗎？

只要……，兩人必定仇殺，一舉可破。
好計！

你有甚麼妙計？

信上怎麼塗掉很多？
哼！一定是你私通曹操，有機密瞞我！
沒有！你若不信，明天我賺曹操出陣說話，你突然殺出，刺死他好了！

曹操派人給韓遂送去一封信，在信的要緊處故意塗抹了好多。

原信就是這樣，我也不知道甚麼原因。

好吧！明天便見分曉！

第二天，韓遂讓馬超隱在陣裏，自己出陣請曹操答話。
韓
韓
丞相請韓將軍照信去做，不要誤事。
曹操派曹洪出陣。
經楊秋等部將勸解，馬超含怒回營。
韓
你竟私通曹操想害我，看槍！

賊子！竟敢出賣我！
韓遂怕馬超害他，只得暗中派人向曹操投降。
馬超獲悉，殺進韓遂營中。
啊——
馬超、韓遂兩軍混戰！

馬超兵敗，和馬岱、龐德殺開一條血路，往隴西臨洮逃去。
馬

曹操留夏侯淵守長安，班師回許都。

曹操破了馬超，見韓遂已成殘廢，封他爲西凉侯。